Hay rincones y viñas del Priorat que han quedado profundamente
impregnados de la inmensa humanidad de un gran fotógrafo.
A JOAN ALBERICH *in memoriam.*

Some corners and vineyards of the Priorat have become deeply
imbued with the boundless humanity of a photographer.
To JOAN ALBERICH *in memoriam.*

Priorat

El territorio y el vino
de la Denominación
de Origen Calificada
Priorat

Esta edición ha sido posible gracias a la colaboración de:

ISBN: 84-9785-018-1
Depósito legal: B-45692-2004

LUNWERG EDITORES
Beethoven, 12 - 08021 BARCELONA - Tel. 93 201 59 33 - Fax 93 201 15 87
Luchana, 27 - 28010 MADRID - Tel. 91 593 00 58 - Fax 91 593 00 70
Cellejón de la Rosa, 23 - Tlacopac, San Ángel - 28004 MÉXICO, D.F.
Tel./Fax (52-55) 5662 5746 - e-mail - lunwergmexico@nodos.zzn.com

Impreso en España

Priorat

El territorio y el vino
de la Denominación
de Origen Calificada
Priorat

Fotografías

JOAN ALBERICH

RAFAEL LÓPEZ-MONNÉ

Textos

ANNA FIGUERAS

RAFAEL LÓPEZ-MONNÉ

TONI ORENSANZ

MAURICIO WIESENTHAL

XOÁN ELORDUY VIDAL

LUNWERG
EDITORES

Índice

Presentación   9

Laudes del vino negro   11
MAURICIO WIESENTHAL

Viñedo Priorat   17
RAFAEL LÓPEZ-MONNÉ

Priorat: La reinvención de un país   25
TONI ORENSANZ

Priorat, sinónimo de vino   33
ANNA FIGUERAS

La Tierra, la vid, la bodega   185
XOÁN ELORDUY VIDAL

Las bodegas   193

English translation   195

Presentación

Cuando intentamos imaginar el pasado del Priorat, por mucho que nos esforcemos es casi imposible ir más allá de los recuerdos de nuestros abuelos o bisabuelos, de la gente que todavía recordamos y cuya presencia está viva para muchos de nosotros.

Es difícil huir de la imaginación que, fruto de la lectura de algún documento manuscrito sobre alguna cotidianidad de la época, nos evoca una asociación de pensamientos e imágenes que nos llevan a reconstruir, de un modo concreto para cada uno de nosotros, cómo era el Priorat. Y fácilmente podemos imaginar la cartuja, las viñas, los carros, la gente...

Es en este momento cuando aparece el elemento catalizador y definitorio de nuestra identidad, la visión más antigua pero la de más futuro, la de siempre pero la más real. La Tierra y el Paisaje del Priorat.

Tenemos la gran suerte de ver, trabajar y vivir las mismas laderas que encontraron los cartujos, las mismas que con anterioridad habían conocido los romanos y los musulmanes. Laderas de piedra "licorella", difíciles para la práctica de cualquier cultivo. Calor ardiente en verano, gélido frío en invierno, primaveras y otoños cada vez más cortos, y que llueve o no llueve cuando quiere y sin saber hacerlo.

La tierra y el clima, que calificaríamos de mediterráneo, generan la posibilidad de cultivar viñas que producen unos gramos de uva únicos. Ni mejores ni peores, sencillamente únicos y exclusivos, que nos permiten, con el trabajo y el esfuerzo de las mujeres y hombres del Priorat, convertirlos en un vino también único y exclusivo.

Las piedras y el paisaje no hablan, no se atreven a decir nada. Pero son testimonio fedatario de las actuaciones de cada ciclo de la historia, pasado o presente. Hoy son testimonio de la realidad que dibujamos todos juntos. Estas piedras y este paisaje no nos hablan, pero en ellos está escrita la única verdad del Priorat.

Una frase popular del Priorat: "Si eres prioratino de la piedras sacarás vino". Este ser humano esforzado, hospitalario, gentil y dulce como un grano de garnacha y al mismo tiempo áspero y contundente como su piel, amoroso y suave como la cariñena madura, persistente y tozudo, carente de dudas sobre quién es, como el vino rancio, feliz y sintiéndose exageradamente orgulloso de ser prioratino. Este prioratino es la clave de bóveda de un futuro posible.

En el Priorat, el Ayer ya es historia. El Hoy, un día claro de otoño, con viento cierzo, frío, que tan bien sienta a la uva, es la dificultad de decidir, es el día a día, es la capacidad de retocar el Paisaje del Mañana. El Paisaje que definirá el Priorat de nuestros hijos.

Ahora tenéis en las manos un libro que recoge imágenes del Priorat, de territorio y vino. Paisajes, laderas, licorellas..., vides. Pueblos, calles, casas..., gente. Uva, rampojo, mosto..., vino. Una parte es la naturaleza y la otra el trabajo y la sabiduría de nuestra gente.

Queremos que el mundo nos conozca, porque el Priorat, más que nunca, sabe que todavía "todo está por hacer y todo es posible".

SALUSTIÀ ÁLVAREZ VIDAL
Presidente de la D.O.C. Priorat
Noviembre de 2004

Foreword

When we attempt to imagine the past of the Priorat, however much we try it is practically impossible to go back any further than the time of our grandparents or great-grandparents, of the people who are still relatively fresh in our memories.

On the other hand, our imagination is further stimulated when we are provided with the opportunity to read a manuscript relating to the period. This allows us to associate thoughts and images and reconstruct our own individual picture of the Priorat. It then becomes much easier to imagine the Carthusian monastery, the vineyards, the carts, the people...

And it is at this moment when the catalysing element of our identity comes into play, providing us with an image that, though remote, is nonetheless both real and a projection into the future: the land and the landscape of the Priorat.

We are fortunate enough to be able to see, inhabit and work the same hillsides that the Carthusians and, before them, the Romans and the Moors discovered. Hillsides of *llicorella* slate that make any form of cultivation an arduous task, further aggravated by sweltering heat in the summer, freezing cold in the winter, increasingly short springs and autumns and insufficient, often untimely rainfall.

The Mediterranean land and climate provide the conditions to cultivate vineyards that yield unique varieties of grapes. Neither superior nor inferior, simply unique and exclusive. Grapes that thanks to the hard work and determination of the women and men of the Priorat are transformed into equally unique and exclusive wines.

The stones and the landscape remain silent, not daring to speak. Even so, they are absolutely reliable witnesses of each historical cycle, past or present. Today they observe the world that together we strive to create. Those stones and landscapes do not speak to us, yet engraved upon them is the only truth of the Priorat.

Si ets Prioratí, de les pedres treuràs vi. If you are from the Priorat, you will extract wine from the stones, or so the saying goes. The *Prioratins* are hard-working, hospitable people, as engaging and sweet-tempered as the *Garnatxa* grape though occasionally as bitter and curt as its skin; as tender and smooth as fully ripened *Carinyena*; wilful and tenacious, fully aware of their own identity, like *vi ranci*; happy and exaggeratedly proud to be *Prioratins*, the keystones of a possible future.

In the Priorat, yesterday is past history. Today, a clear autumn day, with the cold NW wind so beneficial to grapes, is the dilemma of decision-making, everyday life, the opportunity to modify the landscape of tomorrow, the landscape that will define the Priorat our children will inherit.

The book you are holding in your hands is an anthology of images of the Priorat, of its land and wines. Landscapes, hillsides, *llicorella*... vines. Towns, villages, streets, houses... people. Grapes, stalks, must... wine. One part is nature, the other the industriousness and wisdom of our people.

We want the world to meet us, for now more than ever the Priorat is aware that "everything is still to be done and everything is possible".

SALUSTIÀ ÁLVAREZ VIDAL
President of the D.O.Q. Priorat
November 2004

Monjes trabajando la tierra con la azada.

Salterio cisterciense, Ms 54 f.37 Febrero. Principios del siglo XIII.

Bibliothèque Municipale, Besançon, Francia.

Monks working the land with hoes.

Early XIII-century Cistercian psalter. MS 54 f.37 February.

Bibliothèque Municipale, Besançon, France.

MAURICIO WIESENTHAL
Laudes del vino negro

Hace ya más de veinte años hicimos una cata de vinos españoles con Alain Razungles y Hugh Jonson. Y, después de probar más de cien tintos —seleccionados entre los que se consideraban mejores— escribimos una nota de alabanza, aparte, para los vinos del Priorato, nacidos en estos suelos de pizarra que aquí llamamos, con una palabra sabrosa, *llicorelles*. No todos aceptaron de buen grado este gesto, porque entonces algunos no querían reconocer que Cataluña era tierra de grandes vinos tintos. Pocas bodegas embotelladoras sobrevivían en el Priorat. Y no sólo fuera de Cataluña se les podía mirar con el recelo normal de una posible competencia, sino que en nuestra propia tierra algunos estaban interesados en defender sólo el prestigio de los vinos blancos, cosa que es generosa y legítima; aunque fuese a costa de condenar a los tintos, actitud que me parece cuando menos injusta. Y por eso algunos *snobs* repudiaban estos vinos, tachándolos de alcohólicos, gordos, oxidados, humillados con todos los defectos que entonces se atribuían a la uva garnacha. Muy pocos apostaban entonces por esta comarca de suelos minerales, proclamando —como hicimos nosotros— la calidad de "sus vinos tintos, profundos y aromáticos, que son la gloria de la vieja tradición mediterránea".

Las cosas han cambiado mucho, afortunadamente, para los agricultores, los elaboradores y los amantes del buen vino. Hoy nadie se sorprende al saber que el Priorato es considerado, fuera de nuestras fronteras, una de las "joyas más cotizadas" del vino europeo. Ni nadie se asombra cuando estos vinos tintos aparecen, una y otra vez, premiados en catas internacionales.

Una primogenitura en juego

Cuando Jacob huyó de su casa, temiendo las represalias de su hermano mayor a quien había robado la primogenitura, tuvo un misterioso sueño: vio una escala por la que subían y bajaban los ángeles de Dios. Como un vagabundo se había dormido en la tierra dura, apoyando la cabeza en una piedra, que él llamó *beth-el*, casa de Dios, porque tenía algo rumoroso y mágico en su interior. Por eso en Arqueología llamamos *betilos* a las antiguas piedras de culto, a menudo relacionadas con las diosas madres de la fertilidad y con las sacerdotisas que las regaban con agua, con aceite o con vino, ofreciéndoles libaciones en las ceremonias rituales. Y, todavía, en algunos lugares, las piedras se usan como amuletos para conciliar buenos sueños.

Probablemente la piedra que inspiró la visión de Jacob era un meteorito, como la *ka'bah* de La Meca, como la Cibeles negra de las cuevas de Frigia, como el *ónfalos* donde se sentaba la pitonisa de Delfos para profetizar.

Las abejas y la miel, la viña y el vino, la higuera, el olivo, la resina y la hiedra, los tambores y los oboes (el *aulós* griego, la *tebia* romana, el *tible* catalán), acompañaban en la antigüedad los cultos secretos de la piedra sagrada. Cuando uno llega al Priorato y se pierde por sus caminos, sintiendo el perfume áspero de la viña, bebiendo sus vinos de fuego y romero, se diría que nada ha cambiado en más de diez mil años en este viejo Mediterráneo. Hay pan, aceite y vino. Por todas partes hay piedra mágica. Y todavía hay abejas que zumban en las colmenas.

Un nombre santo para un lugar de piedras

Cuando los monjes cartujos llegaron a las tierras del Priorato en el siglo XII, nombraron a su fundación Scala Dei, recordando el sueño del patriarca. Dicen que un pastor contaba cómo en este calvario de piedras se veía una escala por donde bajaban y subían los ángeles de Dios. El pastor debía de ser un poeta, porque el Priorato los atrae, como la uva madura excita a las abejas.

En la Grande Chartreuse siguen llamando "correrie" a las tierras de la comunidad. Y esta palabra ha despertado muchas polémicas entre los filólogos. Pero, a mi juicio, su etimología más directa debe buscarse en el catalán "conreria", que hace referencia a un lugar de cultivo ("conreu"). La Cartuja de Scala Dei tuvo su "conreria", al igual que otros muchos conventos catalanes.

Actualmente sigue siendo una comarca despoblada, montañosa y de romántica belleza, formada por bellos y ariscos pueblos medievales, entre viejos viñedos de difícil laboreo. Las montañas rojizas aparecen cubiertas de oloroso matorral y aromáticas hierbas. El río Siurana y sus pequeños afluentes riegan la zona. La viña se cultiva generalmente en terrazas, excavadas en el duro suelo de pizarra (llicorella), en cotas que a veces llegan a los ochocientos metros.

Los vinos de la provincia tarraconense habían sido ya citados por los autores clásicos, como Plinio el Joven y Silio Itálico. Y nadie puede poner en duda que los romanos tenían ese instinto de presa que se necesita para construir un imperio, explotando los recursos naturales de sus provincias. Por eso, después de expoliar el plomo y la plata del subsuelo, comprendieron que la viña, plantada en la roca, iluminada por el sol y alimentada por el aire, nos da el perfume del vino con más alegría y menos esfuerzo.

Hay muchos buenos vinos en el mundo. A menudo nacen en suelos calcáreos, productivos, tiernos y claros. Pero pocos como el Priorato, que es un vino de roca ácida, de suelo pobre, roto como un hojaldre bajo el fuego. Así son las *llicorelles* del Priorato, formadas por pizarras más antiguas que la memoria del hombre sobre nuestro Planeta. Hasta el romero tiene aquí un olor diferente, que recuerda al eucalipto, distinto del romero de Córcega que es alimonado como la verbena y del romero de Provenza que tiene un perfumado aliento de alcanfor.

Como un mago, puedo ver el Priorato en las luces y los reflejos de mi copa. *Vi negre* (vino negro) llaman en Cataluña al vino que en otras lenguas se llama rojo o tinto, *rouge*, *rosso*, *red*, *rot*. Es el color de las diosas negras, el manto brillante de la roca ácida, la sombra de la lumbre que se apaga en el rescoldo de la hoguera. Huelo los perfumes de mi tierra: el romero, el tomillo, el laurel, el estragón, la corteza amarga de la naranja, el humo de los sarmientos quemados en las tardes de otoño, y el viento del noroeste, el *serè*, que huele a tierra caliente, a aceitunas y a higos secos. La roca negra de las noches frías del Priorato se transforma, al mediodía, en pimienta, dulce y caliente, como si el sol fuese un pintor de trópicos.

Pondría las manos unidas, para llevarle al sol esta ofrenda del Priorato, que es como la vendimia que carga el campesino cuando regresa a su casa, después de haber trabajado la piedra. Siento en la boca el terciopelo del tanino maduro, la carne de la fruta –la garnacha jugosa y cálida, como la granada de Hades que hacía perder la memoria a los que se sentaban en el sillón del olvido–, la materia dulce del roble, el calor de la hospitalidad. Nombres de fruta: la cariñena, nacida en madera dura, cuyo nombre procede seguramente del latín *caro* que significa carne, el aristocrático cabernet sauvignon, la syrah que suena dulce en los labios, como un verso de Hafiz, y el merlot que tiene nombre de pájaro y olor de moras silvestres.

En alguna de las fondas que tienen hoy la chimenea encendida me darán un *llom amb vi negre*, un *arròs amb verdures*, un *conill amb cargols*, un *bacallà amb carxofes*, unas *orelletes* –que tienen el perfume anisado de algunos blancos del Priorato– o quizás simplemente, un poco de queso y unas hierbas para acompañar el vino, como un cartujo.

Una ración de vino

Los hijos de San Bruno cultivaron la viña y elaboraron el vino en la Cartuja de Scala Dei, siguiendo una escuela de trabajo y de espiritualidad que se remonta a San Benito de Nursia y que, básicamente, fue luego compartida por benedictinos, cistercienses, trapenses y olivetanos.

Uno de los capítulos de la Regla de San Benito lleva por título *"¿Cómo beber?"*. Y en él se recuerda que *"es mejor beber un poco de vino por necesidad, que mucha agua con avidez"* y se hacen sabias consideraciones sobre la mesura de la bebida.

El duro trabajo de los monjes justificaba esta pequeña dosis energética. Y algunas tareas, como la tala de árboles y el arado de los viñedos, permitían incluso raciones suplementarias. A menudo, la decisión de construir un nuevo monasterio se tomaba cuando se había comprobado el rendimiento de las primeras viñas.

Los cartujos de Scala Dei iban vestidos de lana blanca, con un capuchón en la cabeza rapada. Y su destino era el cielo estrellado: una vida serenamente anclada en las alegrías de la resurrección. Porque, a diferencia de otras órdenes monásticas que se sepultaban para disciplinar la vida en la contemplación de la muerte, los cartujos decidieron convertirse en estatuas blancas, contemplando en silencio enamorado a la vida.

El lento "adagio" de la vida cartujana está marcado por plegarias de alegría, desde los maitines hasta las aleluyas del canto gregoriano, desde los laúdes hasta las avemarías que cada fraile reza antes de entrar y salir de su celda.

En la sencilla comida de los cartujos no faltan el pan ni el vino; pero no se incluye la carne. Probablemente se trata de una superstición sentimental de viejos pastores que se resisten a sacrificar sus rebaños. Y, aunque el sabio San Benito confiesa no sentirse a gusto estableciendo "la medida del sustento de los demás" —idelicado escrúpulo que podrían hoy compartir los prescriptores de tantas modas dietéticas!—, a los monjes se les concedía una *hémina* de vino diario, o sea menos de un cuarto de litro: dosis que hoy día —cuando se sabe que el vino, bebido con moderación, puede contribuir a la salud— aceptaríamos como más que prudente.

Se festejaban los domingos, los santos, las bodas, los bautizos, la coronación de reyes y el paso o estancia de personalidades como obispos y príncipes. Si en los meses de agosto y septiembre, antes de las vendimias, todavía quedaba vino, se distribuía entre los monjes y los legos, disimulando sus defectos con miel y salvia pulverizada.

Este moderado régimen cartujano con pan y vino ha producido casos extremos de longevidad, como el del Hermano Aynard que vivió ciento veintiséis años en la Grande Chartreuse, o el Padre Jaume Amigó que murió a los ciento siete años en Scala Dei. Pero incluso en nuestra época el Obituario de la Orden demuestra que los cartujos que entran jóvenes en esta disciplina de vida suelen superar el horizonte patriarcal de los noventa años, como si hubiesen vivido a la sombra de la milagrosa encina de Mamré.

Quizás el Priorato es un vino místico. Nace en una tierra mágica que hace soñar con ángeles, extrae el fuego de una roca dura y lo transforma en ofrenda, recogiendo los fragmentos rotos que rechazaron los prudentes y componiendo estrellas con ese material de derribo. Cuando sopla el viento y se inclinan los cipreses, las piedras de Scala Dei parecen hablar con las viñas, contándoles una historia antigua. Y los vinos del Priorato nacen entre leyendas que hablan de caballeros andantes, sabios judíos, princesas árabes, alquimistas y vírgenes negras. Quizás sí; escribiendo mis *laudes* en la madrugada, yo diría que este vino negro es, en realidad, una ofrenda de la roca, del viento, de la viña y del silencio para mi Virgen Negra.

Merece la pena recorrer los caminos que nos llevan por estos pueblos de montaña, visitando sus ermitas, sus puentes de piedra, sus antiguas bodegas cooperativas que dan fe del trabajo honesto de los hombres, y su cartuja en ruinas que huele a melisa, la flor de los solitarios.

Un día me miraron con desconfianza porque aposté por los vinos de esta tierra. Y ahora me alejo contento por el horizonte, llevando al hombro la carga y las herramientas de mi modesta vendimia. Los hombres y mujeres del Priorato se han hecho justicia. Y en este libro dicen muy bellas y verdaderas cosas Anna Figueras, Rafael López-Monné y Toni Orensanz. El resto lo tenéis escrito en sus vinos.

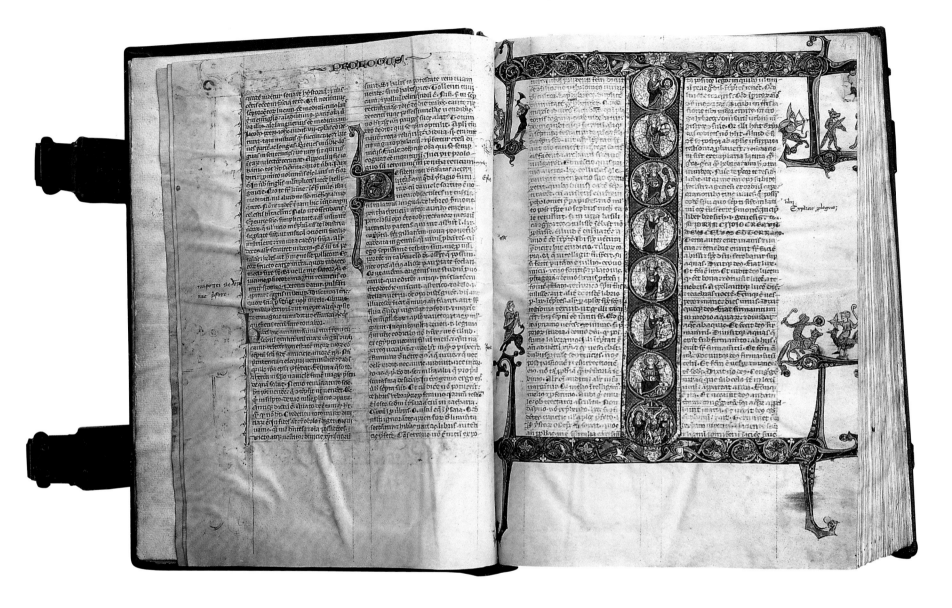

Biblia Sacra de Scala Dei, conservada en el Museo Diocesano de Tarragona.

The Holy Bible of Scala Dei, preserved at the Museu Diocesà de Tarragona.

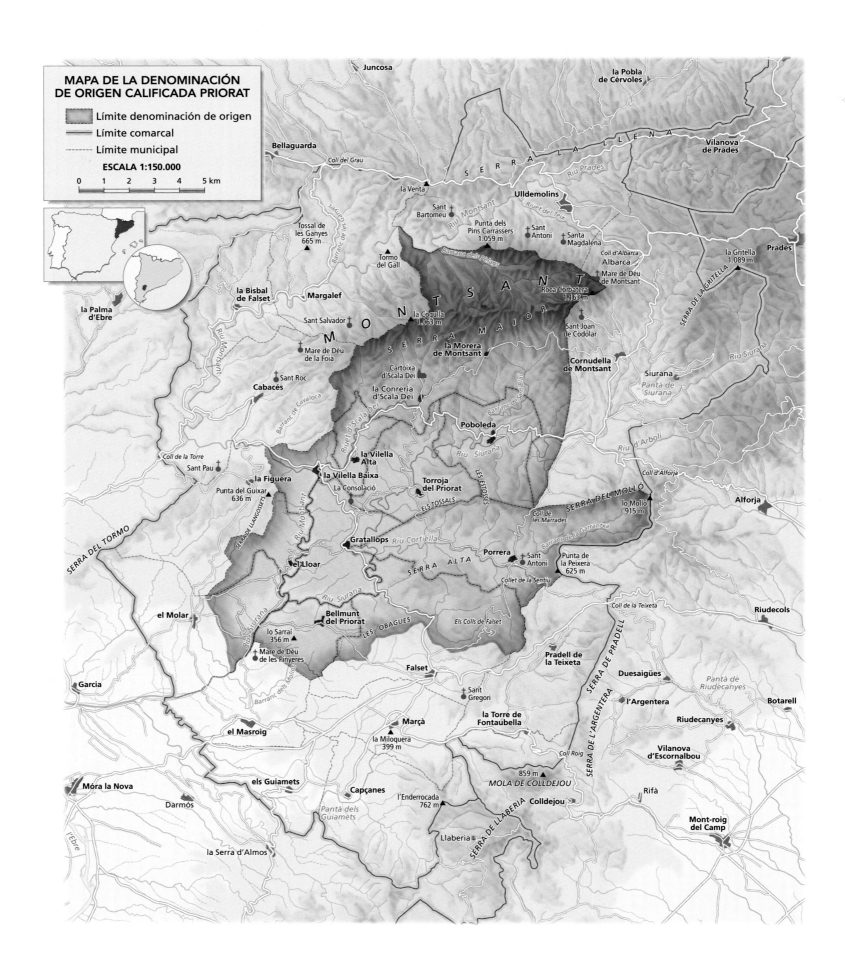

MAPA DE LA DENOMINACIÓN
DE ORIGEN CALIFICADA PRIORAT

Límite denominación de origen
Límite comarcal
Límite municipal

ESCALA 1:150.000

0   1   2   3   4   5 km

Juncosa

la Pobla
de Cérvoles

Bellaguarda

Coll del Grau

SERRA   LA   LLENA

Riu Prades

Vilanova
de Prades

la Venta

Sant
Bartomeu

Riu Montsant

Ulldemolins

Riuet del Teix

Tossal de
les Ganyes
665 m

Barranc de les

Punta dels
Pins Carrassers
1.059 m

Sant
Antoni

Santa
Magdalena

Coll d'Albarca

Albarca

Prades

la Gritella
1.089 m

Tormo
del Gall

Barranc dels Pelags

Mare de Déu
de Montsant

Roca Corbatera
1.163 m

SERRA DE LA GRITELLA

la Palma
d'Ebre

la Bisbal
de Falset

Margalef

M   O   N   T   S   A   N   T

SERRA MAJOR

Sant Salvador

la Cogulla
1.063 m

Sant Joan
de Codolar

Siurana

Riu Montsant

Mare de Déu
de la Foia

la Morera
de Montsant

Cornudella
de Montsant

Panta de
Siurana

Sant Roc

Cabacés

Barranc de Cavaloca

Cartoixa
d'Scala Dei

la Conreria
d'Scala Dei

Barranc de Sant Bl

Riu Siurana

Coll de la Torre

Sant Pau

la Vilella
Alta

Poboleda

Riu d'Arbolí

Coll d'Alforja

la Figuera

la Vilella Baixa

La Consolació

Torroja
del Priorat

Riuet d'Scala Dei

LES ESTISSES

SERRA DEL MOLLÓ

lo Molló
915 m

Alforja

Punta del Guixar
636 m

SERRA DE LLANGOSSETS

Riu Montsant

ELS TOSSALS

Coll de
les Marrades

Gratallops

Riu Cortiella

Barranc de la Garranxa

SERRA DEL TORMO

el Lloar

SERRA   ALTA

Porrera

Sant
Antoni

Punta de
la Peixera
625 m

Collet de la Sentiu

Riudecols

Riu Siurana

el Molar

Bellmunt
del Priorat

LES OBAGUES

Els Colls de Falset

Coll de la Teixeta

lo Sarraí
356 m

Mare de Déu
de les Pinyeres

Riu Siurana

Pradell de
la Teixeta

SERRA DE PRADELL

Duesaigües

Panta de
Riudecanyes

Falset

l'Argentera

Garcia

Barranc dels Molins

Sant
Gregori

la Torre de
Fontaubella

Riudecanyes

Botarell

Marçà

SERRA DE L'ARGENTERA

Vilanova
d'Escornalbou

el Masroig

la Miloquera
399 m

Coll Roig

859 m

MOLA DE COLLDEJOU

Rifà

els Guiamets

Capçanes

l'Enderrocada
762 m

Colldejou

Móra la Nova

Panta dels
Guiamets

Mont-roig
del Camp

Darmós

Llaberia

SERRA DE LLABERIA

l'Ebre

la Serra d'Almos

RAFAEL LÓPEZ MONNÉ

Viñedo Priorat

Las viñas de la Denominación de Origen Calificada (D.O.C.) Priorat no ven el mar, a pesar de que crecen encima. El suyo es un mar antiguo, duro, áspero, de olas oscuras, de aguas sólidas y tempestuosas. No es fácil navegar en él. El horizonte aparece y desaparece continuamente. La vista difícilmente alcanza grandes extensiones. Solamente se puede llegar a captar su dimensión desde las crestas más altas, en las que los hombres se han apresurado en construir alguna ermita. Hay que procurar que el diablo, siempre presente, no encrespe más el oleaje. Si alguien se marea, o quiere recuperar fuerzas, lo mejor es que ponga los pies en tierra firme, en terreno llano. El Montsant es un lugar seguro. Desde la Serra Major la visión sobre el mar prioratino es privilegiada. Las olas paleozoicas rompen en la base de los acantilados de la montaña santa. Al fondo, hacia el sur, se puede divisar cómo el oleaje va perdiendo fuerza hasta finalmente morir en las verdes y amables llanuras del Baix Priorat.

Adentrarse en este mundo singular es arriesgarse a ser seducido por una tierra que transpira un sudor primitivo, esencial, el sudor de la piedra, de la pizarra. La austeridad, la dificultad, así como las vivencias de eremitas y monjes cartujos, han terminado por impregnar el paisaje de una espiritualidad real, tangible, que no necesariamente tiene que ver con lo religioso. La viña se alimenta de este mar de roca vieja y aire limpio. Sus uvas no son lozanas, no pueden serlo. Pero en cambio concentran magistralmente las esencias de este territorio. Después, se precisan manos diestras que corten el diamante que surge de las vides, manos alquimistas que sepan convertir el jugo de la uva en oro para los sentidos. Sin duda el Priorat es sinónimo de vino. En pocos lugares el vino ha prestigiado tanto a un territorio. Pocos lugares tienen un pasado y un presente tan visceralmente vinculado al vino.

La Denominación de Origen Calificada Priorat se halla en el sur de Cataluña, entre el Camp de Tarragona y las Terres de l'Ebre. La mayor parte de la Denominación de Origen se asienta sobre un terreno áspero, sobre una cuenca de sedimentos paleozoicos formados por pizarras del Carbonífero. La erosión ha moldeado un paisaje de colinas y rinconadas. Desde las montañas periféricas, Josep Iglésies, en la *Geografia de Catalunya*, decía que este Priorat aparece como un "juego de montículos sinuosos, chatos y redondeados, con oscuros matices". Se trata del Priorat más antiguo, el Priorat de la licorella. Pero atención, porque estos cerros redondeados sólo son sinónimo de amabilidad desde la distancia. Al penetrar en ellos se descubre un mundo duro, de cuestas empinadas y vertientes inquietas, un territorio tortuoso, sin concesiones. Hasta tal punto es así que Josep Pla, en su *Guia de Catalunya*, confesaba que el país le había parecido "tempestuoso, cataclísmico, de una violencia geológica impresionante". Mallada ya comparó las montañas de pizarra con "gigantescas olas de un mar embravecido" e Iglésies continuó la imagen identificando los pueblos como "pequeñas embarcaciones que navegan espaciadas en el intenso oleaje petrificado". Esta mancha paleozoica forma una especie de anfiteatro ondulado, con alturas que oscilan generalmente entre los 250 y los 500 metros, y que en el extremo nordeste se acercan a los 1.000 en la cumbre del Molló, entre los collados que dan acceso al Camp. Por la parte de poniente, las viñas llegan a la falda del Montsant, un formidable macizo de conglomerados oligocénicos. Por la parte de levante y mediodía, las pizarras se suavizan progresivamente, soldándose con las sierras y afloraciones calcáreas.

Rehaciendo muros de piedra seca en la parte baja de la ermita de la Consolació, la colina desde la que la vista alcanza toda la extensión de la D.O.C. Priorat.

Rebuilding dry-stone walls beneath the hermitage of La Consolació, from which the view embraces the entire D.O.Q. Priorat.

Dicen que la viña precisa aire y sol y que detesta el exceso de humedad. Los macizos, sierras y cerros del perímetro y periferia de la Denominación de Origen se han puesto de acuerdo para procurar proteger las tierras interiores de las influencias externas. La orografía ha dado lugar a una especie de recinto, un mundo cerrado y cercado en sí mismo. Este territorio queda protegido del aire húmedo del mar por una serie de montañas, como la muela de Colldejou, la sierra de Pradell, la de Garrantxa o la de Molló. En la otra parte, la sierra de Figuera, el Puigroig y las colinas de pizarra suavizan la llegada de los vientos cálidos de poniente y frenan las brumas que suben desde el gran río, desde el Ebro. Finalmente, el impetuoso *mestral* o *seré*, el viento frío y violento del noroeste, se encuentra notablemente debilitado por el gran protector, el Montsant. El resultado, según los entendidos, es un clima templado y seco, más fresco que el del Camp de Tarragona y más reseco que el de la Ribera d'Ebre, con una pluviometría que ronda los 560 ml anuales de media.

A pesar de la corta distancia a que se encuentran las aguas del Mediterráneo (menos de 20 km), es prudente no tomar como referencia las suaves temperaturas de la orilla del mar. El frío del Priorat tiene hambre en invierno y muerde al primer descuido. En verano, en cambio, al mediodía el sol cae con una contundencia que hace añicos las piedras. Inmóvil, prisionera de la gravedad, la licorella se defiende como puede y se convierte en un inmenso espejo que termina por inundarlo todo de luz, una luz desintegradora, excesiva. Finalmente,

el sol termina rindiéndose y llega la brisa balsámica de los atardeceres veraniegos para hacer revivir las viñas y la gente. Huyendo de los extremos, se puede pensar que la primavera y el otoño son suaves y agradables. Y es verdad, pero no siempre. Los equinoccios llenan el Priorat de colores brillantes y luces doradas, de delicados nacimientos o de finales suntuosos. Pero tanta belleza en la tierra acaba despertando la envidia de los dioses que, de cuando en cuando, dejan caer el cielo repentinamente. Como dice la canción, en este país llueve poco y la lluvia no sabe llover. Entonces, los santos tienen trabajo y los payeses –que habrán renegado de todo lo sagrado– también.

El gusto de la piedra

"En tiempos del diluvio universal con el que Dios castigó a los hombres por tantos pecados que habían cometido, las aguas subieron 30 palmos por encima de la montaña más alta del mundo, [...] como el agua estuvo 115 días como dicen las Escrituras, puede deducir cualquier que con tantos días se despega la tierra en amasijos hasta el fondo [...] Aquellos amasijos de tierra que cayeron de las montañas que según de donde baje la tierra tiene la sustancia, como el vino que según la savia que tiene el vino de aquel tonel viene la savia."

Así comenzaba a explicar un payés ilustrado de Porrera, a finales del siglo XVIII, las razones que hacían que el vino de su país tuviese un gusto tan especial. Porque hay que saber que "todas las montañas por lo regular se componen de tres especies que son: *llecorell*, *soldó* y de cal; aunque hay más especies". La *llicorella* –llamada también *licorella*, *llicorell* o *llecorell*– es la indudable protagonista de la denominación de origen Priorat, aunque también se incluyen algunas zonas no pizarrosas, como la falda del Montsant y buena parte de la propia montaña. El origen de la palabra está vinculado a la expresión *llècol*, que se hacía servir para indicar humor, gusto, pastosidad sabrosa, cuya etimología proviene del celta *likka*, que quiere decir piedra. Piedra, gusto, pizarra, licorella, todas estas palabras acaban convirtiéndose en sinónimos en el Priorat. El autor anónimo del manuscrito *Tractat d'agricultura* lo confirma ampliamente al afirmar:

"De aquellas tres clases de montañas la de primera calidad son las de licorella, que la etimología del nombre ya dice llago, que quiere decir gusto, de tal manera que todos los frutos tienen diferente gusto que los demás. Y es la causa de que el vino de las montañas de licorella con la misma calidad de las uvas es más gustoso, y lo mismo son las aguas batidas en los barrancos de rocas de licorella tienen un gusto diferente de las que proceden de montañas de cal o *soldó*, como el Priorat de la cartuja de Scala Dei, de donde soy hijo, que se compone de seis pueblos y las tierras que posee el monasterio, y en los seis pueblos todo es montañas de licorella, aunque también hay montañas de cal y *soldó*, aunque pocas".

El río Siurana poco antes de llegar a Poboleda. Al fondo, la Serra Major del Montsant.

The river Siurana shortly before it reaches Poboleda. In the background, the Serra Major del Montsant.

Actualmente, la impronta casi atávica de la piedra, de la licorella, continúa muy presente. Solamente hay que mirar las notas de cata de sus vinos para leer lo de "gustos minerales", "toques de pizarra", etc. Parece como si la licorella llegara a disolverse en los azúcares de las uvas que crecen sobre sus espaldas.

Nombres, herencias y límites

El origen histórico del nombre está claro. El Priorat era el dominio del prior del monasterio cartujo de Scala Dei. El feudo prioral incluía los pueblos de Poboleda, Morera, Porrera, Vilella Alta, Torroja y Gratallops –los seis pueblos a los que se refiere el manuscrito del payés de Porrera–, además de una parte de Bellmunt. Éste es el territorio que se conoce habitualmente como Priorat histórico o Priorat de Scala Dei. La declaración de la Denominación de Origen vitivinícola Priorat llegó en 1954. Todo indica que el criterio de partida para dibujar la Denominación de Origen fue el de procurar identificar los vinos que eran elaborados en las tierras del antiguo priorato de Scala Dei, es decir en los siete pueblos antes mencionados. Por otro lado, la mayor parte del territorio de este Priorat está formado por pizarras. Este hecho determinó que al primer criterio histórico se añadiese otro muy evidente, el de la licorella y sus condicionantes. La Denominación de Origen también tenía que englobar los territorios en los que la pizarra impone sus leyes a la hora de cultivar las viñas. Así, a los siete municipios históricos del Priorat de Scala Dei se añadieron los de Lloar y Vilella Baixa, y la parte norte de los términos de Falset y Molar. El resultado es una denominación de origen de cerca de 15.000 hectáreas, de las cuales únicamente poco más de 3.600 son viñedos. Una denominación de origen pequeña, pero con la fuerte personalidad que le confiere la singular mezcla de elementos históricos y geológicos. Una Denominación de Origen que está marcada por dos hechos fundamentales: lo dificultoso del cultivo y la calidad de la uva que proporciona la licorella.

La Denominación de Origen Calificada Priorat no coincide con los límites de la comarca administrativa que lleva el mismo nombre. Lo que se conoce como la comarca del Priorat abarca un territorio más extenso donde existe también otra denominación de origen vitivinícola de creciente prestigio: la Denominación de Origen Montsant. Además, el Priorat geológico, el Priorat de la licorella, tampoco encaja completamente ni con el histórico ni con el vitivinícola, ni con el comarcal, claro está. Y para acabar de complicarlo, buena parte del Montsant –de la montaña– está incluido dentro de la D.O.C. Priorat, aunque también da nombre a la otra denominación de origen vitivinícola de la comarca (llegados a este punto, pido excusas al lector si ha acabado perdiéndose entre tantos Prioratos; no importa, esto forma parte inseparable de este espacio). El lío de nombres y de límites sólo deja clara una cosa: a pesar de ser pequeño, este trozo de mundo no es un país fácil. Nunca lo ha sido.

Desde antiguo, aunque se tenía conciencia de que el Priorat histórico era más reducido, la gente del país y de los alrededores llamaban Priorat a los territorios situados más allá de los collados de Alforja y Teixeta. La delimitación concreta de la comarca administrativa llegó en 1932, con la Ponencia de la División Territorial de Cataluña impulsada por la Generalitat republicana. En el Priorat, los trabajos de la Ponencia fueron especialmente complicados. Incluso se llegó a contemplar la posibilidad de no crear una comarca autónoma como tal, sino de integrar sus poblaciones en las comarcas vecinas, Baix Camp y Ribera d'Ebre. Los estudiosos encargados de dibujar el mapa administrativo de Cataluña buscaban una división que respondiera a la realidad funcional del territorio. Por esto pusieron tanto énfasis en buscar la lógica de los movimientos habituales de la población. Por ejemplo, uno de los criterios fundamentales de la Ponencia fue que ninguna población quedase a más de un día en carro del mercado principal de la comarca. En el Priorat sólo seis pueblos, de los treinta y nueve que formaban parte del partido judicial de Falset, afirmaban ir al mercado en esta población.

Recuperada la democracia y el autogobierno después de la dictadura franquista, la nueva Generalitat de la década de los años ochenta del pasado siglo decidió restaurar la división comarcal, pero sin revisar los criterios funcionales con los que había sido dibujada. De aquella opción han resultado unas comarcas actuales más pensadas para la acción política que no para la descentralización admi-

nistrativa de la Generalitat, como lo fueron las primeras. Acertadas o no, el caso es que, hoy en día, después de más de setenta años, los expertos de la Ponencia continuarían encontrando dificultades para perfilar la cohesión territorial del Priorat. Éste es un territorio obstinado, de una tozudez que parece estructural. Un territorio que continúa manteniendo una contradicción entre la geografía física y la económica. Mientras las aguas del río Siurana descienden hacia el Ebro, sus pobladores atraviesan los collados de Alforja y Teixeta para ir a los mercados de Reus y Tarragona, o a los de Nueva York, Berlín o Tokio. La comarca del Priorat continúa sin formar un conjunto geográfico claro (de Pradell a Margalef hay un mundo y medio universo). Las diferentes tradiciones históricas y sentimientos íntimos –a menudo viscerales– continúan, en mayor o menor medida, todavía vivos, dibujando Prioratos no siempre coincidentes.

Silencio, soledad y poder

Las crónicas cuentan que en septiembre de 1163, Albert de Castellvell, señor de Siurana, y el rey Alfonso I, recibieron una petición de parte de Ramon de Vallbona (fundador del monasterio de aquella población) para retirarse a hacer vida contemplativa cerca del Montsant con algunos de sus seguidores. El atractivo de esta montaña como lugar de oración y de retiro espiritual ya era conocido. El rey catalán, interesado en impulsar la repoblación de los territorios recientemente conquistados a los musulmanes, le concedió la petición y todavía fue más lejos: decidió hacer venir de Francia a un grupo de monjes cartujos seguidores del ejemplo de san Bruno. El ideal cartujo se basa precisamente en conseguir una síntesis entre lo mejor de la vida eremítica y la cenobítica. El deseo de los monjes era orar en solitario, dentro de una celda, en un lugar apropiado, mientras que el propósito del rey era la creación de un cenobio que impulsase la llegada de colonos, la agricultura y el progreso de estas tierras. Los dados del futuro habían sido lanzados: Montsant, espiritualidad, cartujos y vino.

En un primer momento, los monjes se instalaron en un lugar lleno de chopos cerca del río Siurana llamado *Populeta* –la futura Poboleda–. Los nuevos territorios otorgados por Pedro I en 1203 permitieron a la comunidad trasladarse a un rincón apartado, bajo los impresionantes riscos de la Serra Major del Montsant. El fondo de un estrecho barranco fue el lugar escogido para levantar la que sería la primera cartuja en la Península. La tradición cuenta que el nombre de Scala Dei proviene de la visión de un pastor que aseguraba haber contemplado en aquel lugar una escalera que llegaba hasta el cielo y por la que descendían los ángeles. Quizás sucedió tal como fue explicado, quizás fue un exceso de fe –o de vino–, o quizás el pastor mezcló en sueños el recuerdo de los vertiginosos escalones tallados en la piedra que, una vez superado el estrecho de la Escletxa –justo sobre Scala Dei–, permiten llegar al cielo, al cielo del Montsant. El nuevo enclave les debió resultar perfecto: solitario, silencioso, oculto, recluido, protegido por los muros de la montaña santa. Con seguridad les recordaba el aislamiento y difícil acceso de la Grand Chartreuse. Los cartujos anhelaban aproximarse a la existencia de los eremitas, la primera forma de vida religiosa que surgió en Oriente. Probablemente, el Montsant tenía que evocar en aquellos monjes recién llegados los escenarios duros, pétreos y desnudos en los que vivieron los primeros cristianos que abrazaron la oración en solitario.

Durante los siglos posteriores, los dominios y el poder de la cartuja fueron aumentando. Jaime I amplió las tierras de su señorío y el arzobispo Aspàreg de la Barca les cedió diezmos y primicias, tal como explica el historiador Pere Anguera, en reconocimiento por las prédicas que dirigió el prior Rondulf contra el núcleo cátaro que se había desarrollado en las montañas de Prades. Jaime II, Alfonso III y Pedro III les otorgaron rentas anuales fijas y los monarcas sucesivos aumentaron sus derechos y privilegios. Mientras el tiempo avanzaba, el prestigio y los edificios de la cartuja iban creciendo. En 1564 la cartuja recibió la visita de Felipe II, el cual confirmó los antiguos privilegios, al igual que lo había hecho el emperador Carlos V y como renovaría Felipe III. A partir de mediados del siglo XVII, la cartuja participó activamente en el próspero comercio del vino y del aguardiente y conoció un período de verdadera riqueza, en especial durante el siglo XVIII. En 1741, por ejemplo, el prior hizo grabar el escudo de la cartuja en todas las ermitas del Montsant, dejando bien a la vista hasta dónde llegaba su mano.

Desde el siglo XVII, las denuncias y los pleitos por abusos de poder de Scala Dei fueron en aumento. Durante el Trienio Liberal, el convento fue abandonado y sus bienes desamortizados por primera vez. Los cartujos regresaron en 1823, pero el final se acercaba. En 1835, los monjes fueron obligados a abandonar definitivamente Scala Dei por la nueva ley de Desamortización aprobada por el gobierno. En agosto de este mismo año, la mala sangre acumulada durante siglos hizo saltar la chispa que incendió la cartuja. Las autoridades no hicieron nada para frenar su destrucción. En dos años, el que fue uno de los monasterios más ricos e influyentes de la Península quedó vergonzosamente arrasado. Sus sillares y dovelas sirvieron de cantera para levantar otros edificios, para construir márgenes de piedra en el campo o para pavimentar carreteras. Los tesoros de Scala Dei se esfumaron rápidamente. Todos menos uno. La arraigada tradición de cultivo y elaboración de vino que impulsaron y fomentaron los cartujos todavía hoy produce réditos.

Las raíces de las viñas que crecen sobre la licorella son profundas; bajan y bajan hasta encontrar la humedad que necesitan. Cuando los habitantes de este territorio buscan sus raíces, tarde o temprano van a parar a la cartuja. Paradójicamente, el antiguo y a menudo maldito poder feudal del prior de Scala Dei hoy se ha transformado en un vínculo de identidad entre los descendientes de sus vasallos e incluso entre los recién llegados. El sentimiento que expresaba el autor del manuscrito de Porrera a finales del siglo XVIII –"el Priorat es la cartuja de Scala Dei, de donde soy hijo"–, sigue todavía vivo. Scala Dei continúa generando un vínculo de pertenencia, fundado en un pasado prestigioso que el presente reafirma. Es una especie de relación umbilical entre la cartuja, incluso devastada, con los pueblos que estuvieron bajo su dominio. En gran medida, la D.O.C. Priorat recoge y aglutina una parte importante de este sentimiento. Un sentimiento que es inseparable del vino y de la historia vitivinícola de estas tierras.

Montaña y emoción

En la ciudad siria de Alepo, en una iglesia de los barrios más pobres de la ciudad, todavía se pueden oír los cánticos que entonan los urfalíes, los descendientes de los cristianos de Urfa, la antigua Edesa. Es un canto de una belleza casi sobrenatural. El escritor William Dalrymple habla de "aleluyas serpenteantes que flotan con la leve indecisión de las plumas, cayendo en arpegios de cadencias mortecinas que se pierden en el suave agujero negro de un bajo profundo". Todo hace pensar que estos cánticos se han mantenido prácticamente sin variaciones desde la época bizantina y que podrían ser los más antiguos de la tradición cristiana, la fuente de la que derivó la tradición gregoriana occidental. En Scala Dei, cada medianoche tenía lugar el momento más intenso de la liturgia cartuja. Casi a oscuras, entre las sombras alargadas y temblorosas dibujadas por la luz de las velas, sin ningún acompañamiento musical, se entonaba el canto gregoriano de las Maitines y Laudes. Fuera, las paredes del Montsant recibían unas notas que llegaban desde el Oriente bizantino, reproducidas y moduladas por gargantas diferentes, pero con la misma esencia, con el mismo espíritu, acercar los hombres a la divinidad o por lo menos a la serenidad del alma.

El Montsant es una montaña empapada de espiritualidad. La parte alta de la Serra Major muestra una desnudez austera, silenciosa, abierta a todos los horizontes. Éste es un espacio donde encontrar la soledad, un territorio que habría sido delicioso para san Bruno, según el cual solamente los que experimentan el silencio del desierto pueden entender las íntimas alegrías que proporciona. De todas maneras, no es imprescindible partir de una óptica religiosa o mística para percibir este Montsant. Nuestra sociedad ha ido generalizando miradas más profundas, más emotivas, sobre las montañas y los espacios naturales. Se trata de un ejercicio de cultura, de sensibilidad, que permite llegar a explorar, aprender, querer y respetar la belleza de los paisajes como algo magnífico. Y para los humanos, la belleza va ligada a la espiritualidad, a la serenidad, a la paz.

Durante siglos, especialmente para los que habitaban en sus alrededores, el Montsant ha constituido básicamente un espacio productivo, aunque extremadamente pobre. La necesidad de supervivencia de algunas generaciones permitió obtener de algunos rincones del interior cosechas de cereales, de patatas y también de uvas, aunque con gran esfuerzo. De las encinas se obtuvo carbón vegetal y madera de los troncos de los pinos, robles y tejos, mientras que los rebaños de cabras han sido los que tradicionalmente más provecho han sacado de los magros pastos. Actualmente, donde sólo había un territorio ahora hay un paisaje, un paisaje que se ha convertido en un verdadero símbolo. En estos momentos, además de la destacada biodiversidad que ofrece el Montsant, la montaña se ha convertido en un valioso patrimonio cultural. El Montsant es un espacio casi sin artificios que estorben la percepción del sentido profundo de la montaña. Es un paisaje armónico, de una tremenda fuerza escénica. Es un espacio para emociones profundas, para sensaciones extensas, luminosas. El Montsant es el gran decorado de fondo de las viñas del Priorat. Su presencia física y simbólica es inseparable de la imagen de las cuestas, de las viñas y del propio vino. En invierno, cuando los bronces de la licorella van apagándose con el anochecer, detrás de las vides adormecidas, el Montsant se tiñe con la última luz magenta y violácea. Entonces, la montaña adquiere más el aspecto de un ara clásico que de un roquedo.

A caballo de la licorella

Por la noche, desde lo alto del Montsant el mar paleozoico es de una negrura abismal. Sobre el oleaje solamente aparecen las tibias luces de unas pocas barcas, los pequeños pueblos que, navegando desde hace siglos, han acabado por acostumbrarse al baile que impone el temporal. Cada uno ha escogido la cresta de la ola de licorella donde mejor se encontraba, desde donde mejor podía lanzar las redes. Pero hay uno que prefirió quedarse en la orilla, con la espalda protegida por la montaña, en una plataforma orientada al sur, bien asoleada, disfrutando de unos panoramas admirables. Morera de Montsant, la antigua *Moraria*, situado a 753 metros, es el pueblo más alto del Priorat de Scala Dei. La vida de los habitantes de Morera ha estado siempre estrechamente vinculada al Montsant. De hecho, buena parte de la montaña pertenece a su extenso término. Por el estrecho de Grallera continúa ascendiendo el camino de herradura que tantos hombres y mulas recorrieron arriba y abajo. Ya lo dice la copla:

Muchachas de Gratallops
en Morera no os caséis
que os enviarán al Montsant
y de borrica serviréis.

La cartuja de Scala Dei está dentro del término de Morera, así como también la Conreria. Este pequeño núcleo de población ha ido creciendo al abrigo del edificio administrativo que los cartujos mandaron construir fuera de la cartuja, a poco más de un kilómetro. De esta manera querían evitar ser estorbados por el bullicio que generaba la gestión de sus propiedades, recogida de diezmos, cobro de impuestos, etc. Siguiendo el riachuelo de Scala Dei, a la izquierda, sobre un lomo de licorella, los cartujos fundaron Vilella Alta. El pueblo es abrupto, como marca la norma de este país. Sin embargo, desde la parte alta de sus calles, la visión de cómo se funden con el horizonte sus balcones, aleros y tejados es especialmente cautivadora. Alejándose del pueblo por el camino que conduce a la ermita de la Consolació, se puede contemplar una vista realmente magnífica: el pueblo estirándose siguiendo la sinuosidad y la pendiente de la montaña, en el marco magnífico del Montsant.

Aguas abajo, donde el riachuelo de Scala Dei se une con el río Montsant, se encuentra Vilella Baixa. También en este caso el pueblo es toda una lección de escenografía, comenzando por el puente de piedra que, con tres ojos, atraviesa de un salto los dos ríos para plantarse en la parte baja del pueblo y conectar las cuatro orillas. Pegadas a las pendientes exageradas de estas montañas, las casas de Vilella Baixa salvan desniveles increíbles. Dos o tres pisos en la parte de la calle pueden convertirse en seis o siete en la parte del barranco. Dentro del pueblo, las casas parece que se acerquen para agarrarse y no resbalar montaña abajo. Las calles se estrechan hasta el punto de que existe una que lleva el nombre de "calle que no pasa". Aquí, cerrados los extremos con llave y cerrojo, se hacían fuertes los vecinos del pueblo para protegerse de las maldades de las guerras contra los franceses y de las asonadas carlistas.

Siguiendo el curso del río Montsant se llega a Lloar. Es pueblo elevado, situado a media vertiente del cerro del Guixar, en la sierra de Figuera. Paseando por sus calles, de repente se encuentra una generosa balconada que regala una de las mejores vistas de este Priorato: en el fondo del valle, el río, haciendo su camino, y enfrente medio Priorat en cinemascope, con los viñedos que descienden desde Gratallops. Las aguas que pasan lamiendo las vertientes de Lloar encuentran poco después el río Siurana. Remontando su curso se llega a Bellmunt del Priorat. Sin contemplaciones, el río y los barrancos han rodeado el istmo sobre el que se levantó el pueblo. Bellmunt está en constante equilibrio, alineado y compacto ante el vacío. En las empinadas vertientes que lo rodean, los payeses debieron de cavar con miedo y con cuidado para que no se les fuera abajo el pueblo. Pero, además de cavar la montaña, en Bellmunt la han agujereado para sacar el plomo de las vetas de galena que había bajo tierra. La explotación finalizó en 1975. Ahora, gracias a la visión y cabezonería de quien trabajó en ella desde pequeño, Joaquim Torné, las minas se han convertido en un museo, en un verdadero espectáculo mineral. Son las entrañas del Priorat.

El *mas* del Marimon de Torroja, sobre el montículo que rodea el río Siurana.

The Mas del Marimon in Torroja, on the hillock the river Siurana flows around.

Siguiendo hacia arriba las vueltas y más vueltas del Siurana, se pasa por debajo de un escarpe de fantasía repleto de higos chumbos; Gratallops está situado sobre una colina de licorella, elevado, rodeado de horizontes. Los ornamentos renacentistas que decoran la fachada de la Casa de los Frailes encajan bien con el prestigio que ha ido ganando la población. Actualmente se ha convertido en la capital oficiosa de los vinos del Priorat. Aquí comenzó la revolución de los nuevos Priorats. Y la carga de pasión que encendió la mecha todavía está bien viva. Cerca de la población, en la cresta del oleaje pizarroso, unos cipreses señalan el camino que conduce a la ermita de la Consolació. Dicen que la vista que permite es la mejor. También lo es su paz y el silencio que saborea diariamente, con pasión, el ermitaño que allí vive. Por todas partes se ven paisajes antiguos, con *masos* y campos centenarios que huelen a pizarra. En medio de las cuestas, de las vertientes cultivadas, a menudo aparecen pequeños muros de piedra seca. Pegados a la pendiente y en constante tensión, hacen lo que pueden para suavizar las inhumanas inclinaciones. Al mismo tiempo, en todas las valles también son visibles los recientes aterrazamientos que permite la moderna maquinaria. Son líneas de trazo fino, o más grueso, que dibujan nuevos decorados. Líneas que, como en el resto del territorio, inducen dudas y debates sobre el futuro del paisaje de este pequeño país. Las vueltas, las curvas, las concavidades y las convexidades caracterizan este espacio. Cuando las nuevas formas las respetan, la armonía se recompone. En cambio, los trazos rectilíneos, angulosos, encajan con mucha mayor dificultad.

Por el río Siurana hacia arriba se llega a Torroja. La luz de los buenos tiempos comienza a despertar un pueblo agotado por el éxodo al que lo condenó la filoxera. Da gusto poder todavía caminar por calles empedradas y revivir los tiempos en los que la viña y la vida desbordaban los bancales y los balcones. El órgano, construido por Joan Pere Cavaller a comienzos de 1800, recuerda el gusto romántico francés que llegaba a un Priorat menos escondido y aislado de lo que se podría pensar. Las impresionantes casas señoriales de Cal Marimon y Cal Comte muestran claramente la dimensión de los patrimonios que contribuyó a construir el vino tiempo atrás. En el mismo valle, más arriba de Torroja pero en la otra parte del río, se encuentra Poboleda, estirada a lo largo de la pendiente de una loma de licorella. En la época de vendimia, si alguna carga hubiese caído en lo alto de la calle Major, hubiera rodado sola hasta entrar en la iglesia. Y es que en este país el vino es sagrado. La iglesia de Poboleda no es poca cosa –la catedral del Priorat–. Como todas las de los demás pueblos, es de estilo neoclásico, con uno de aquellos campanarios inseparables del paisaje prioratino. En la orilla del río, todavía queda en pie uno de los molinos propiedad de los cartujos, con su escudo bien visible en el forjado de la balconada.

Para llegar al último pueblo hay que saltar al valle de al lado, el del río Cortiella. Porrera ha sido construida junto al río, tanto, que algunas de las casas ya hace tiempo que han cruzado el elegante puente viejo, construido en 1804. Muchas de las viviendas mantienen la estructura tradicional, de la que llama la atención la hilera de arcadas que airean las buhardillas. Abajo, en el suelo, el pueblo está repleto de lagares y bodegas, mientras que en las fachadas un buen número de relojes siguen preguntándole la hora al sol. Desde su querida ermita de Sant Antoni, el pueblo muestra un encanto al que es difícil resistirse. Y es que los pueblos de aquel país son de una sensacional belleza pictórica, todavía por descubrir. Vistos desde la distancia, la armónica morfología que conservan los hace sencillamente deliciosos. Los campanarios siguen presidiendo las formas, levantándose por encima de los tejados sin que ninguno de ellos intente una chapucera y descreída rivalidad. Las tejas árabes dominan las vistas y dan al conjunto un tono de tierra que arraiga profundamente en el paisaje y en el país.

De hecho, la constatación de este atractivo no es nueva. Joan Santamaria, en *Visions de Catalunya* (1936), escribía: "Estos pueblos que vamos encontrando –Vilella, Torroja, Porrera, Pradell– son los pueblos más pueblos que hemos visto desde que andamos por Cataluña. Tienen una solidez secular, una costra endurecida, un redondeo geométrico, una apariencia de cuadro de exposición". Aquí no han llegado las casas adosadas –ni falta que hace–. El sarampión de la piedra –el querer dejar todas las fachadas picadas–, tampoco ha realizado los estragos que han sufrido otros lugares, convertidos de repente en pesebres falsificados. Las enormes dificultades que han soportado estos pueblos durante tantos decenios, de rebote y a pesar de todo, han tenido algo positivo que convendría saber aprovechar. Con un situación económica mejor, probablemente hubiera quien se habría deslumbrado con los modelos urbanos o con las formas de una ruralidad inventada. Estos pueblos todavía están a tiempo de escoger, de asumir y de mantener los elementos arquitectónicos que les dotan de identidad. Está en juego el formidable carácter que les singulariza.

La rueda del tiempo

Han llegado nuevos tiempos al Priorat, nuevos y bienvenidos tiempos después de una condena demasiado larga. Pero leyendo las páginas del manuscrito de

Porrera se puede intuir que en buena parte de los territorios prioratinos el tiempo es circular. En este país el tiempo es prisionero del espacio. La influencia y prestigio de Scala Dei, el gusto de la licorella y el papel de la viña y el vino; todos estos aspectos vuelven a revivir gracias a manos atrevidas que han sabido cómo poner en marcha nuevamente el motor del territorio. El autor del manuscrito *Tractat d'agricultura*, imbuido de las ideas de la Ilustración, creía firmemente en el insustituible de la agricultura en el progreso del país. "El payés y el comercio –dice– son las dos columnas que sostienen el peso de la máquina", mientras que los grupos sociales restantes "hacen su papel en la comedia". Sin duda, ha sido la viña, el vino y su comercio lo que ha rescatado nuevamente estos valles de la miseria a la que les condenó un simple insecto. Como señala Josep Pla, el principal acontecimiento de la historia del Priorat no fue la Reconquista, ni las guerras de Juan II, de los austrias, de los borbones, de los carlistas o la que enfrentó a los fascistas y republicanos. Lo realmente fundamental ha sido la destrucción y la pobreza que sembró la filoxera a finales del siglo XIX. El presente no es sino el resurgimiento de un territorio a partir, nuevamente, de lo que más ha marcado su identidad. En cada copa de vino, mezclado con los gustos de la cariñena, la garnacha, la cabernet, etc., hay también un pedacito de este milagro. Con cada trago se degusta un elixir de vida, con el complejo y maduro regusto que deja la extraordinaria personalidad de esta tierra.

BIBLIOGRAFÍA

ALBENTOSA, Luís M. (1981): "Proceso de desertización y desorganización social en una comarca agraria regresiva: El Priorat", en *Tarraco, Cuadernos de Geografía*, vol. 2, 127-166.
ANGUERA, Pere; ARAGONÉS I VIRGILI, M. (1985): *El Priorat de la Cartoixa d'Scala Dei*. Santes Creus: Fundació Roger de Belfort.
Catastro vitícola y vinícola. Denominación de Origen Priorato. Madrid: Ministerio de Agricultura, Instituto Nacional de Denominaciones de Origen, 1975.
CIURANA, Jaume (1980): *Els vins de Catalunya*. Barcelona: Generalitat de Catalunya, Departament d'Agricultura, Ramadaria i Pesca.
IGLÉSIES, Josep (1961): "El Priorat", en *Geografia de Catalunya*. Barcelona: Editorial Aedos. Vol. III, cap. VII.
JUNCOSA, Isabel (1998): *Tractat d'agricultura. Manuscrit anònim de Porrera segle XVIII*. Reus: Centre d'Estudis Comarcal Josep Iglésies.
PLA, Josep; CATALÀ ROCA, Francesc (1971): *Guia de Catalunya*. Barcelona: Edicions Destino.
SANTAMARIA, Joan (1936): *Visions de Catalunya*. Edicions Mediterrània.

TONI ORENSANZ

Priorat: La reinvención de un país

En 1992 cerraba la última tonelería del Priorat. Después de toda una vida entre azuelas y berbiquíes, Francesc Guiamet, el tonelero del pueblo de Gratallops, se retiraba por jubilación. Y lo hacía con la profunda convicción de que todo estaba perdido, que en el Priorat ya sólo cabía coger los bártulos y apretar a correr. Y como él, prácticamente todo el mundo. Casi nadie se hizo eco de su retiro.

bres en medio mundo como Lluís Llach y Joan Manuel Serrat, bodegas francesas con el actor Gerard Dépardieu como buque insignia, algún que otro ex ministro español y una lista de románticos y/o mercaderes del oro líquido que tiende hacia el infinito.

Militantes del escepticismo

Hacemos un pequeño salto en el tiempo y nos situamos en 2002. Un periodista consulta *The New York Times*. Publica un reportaje sobre el vino español. El periódico de referencia de los neoyorquinos canta las excelencias de algunos de los vinos *Priorat*. Pero lo más sorprendente es el recuadro en el que se anuncia que dos vinateros de la comarca son pareja sentimental. Insisto: el cotilleo que sale publicado en la prensa de la gran metrópoli, en el centro del mundo, procede del otro lado del océano.

Entre una y otra noticia han transcurrido diez años, diez años apenas. En poco más de una década, el Priorat y su gente habían pasado de vivir instalados en un sentimiento de derrota secular a convertirse en noticia de los "Ecos de sociedad" de la prensa neoyorquina. El vino que demasiado a menudo se malvendía en garrafas ha pasado el relevo a un vino que se destapa solamente en los mejores restaurantes de Nueva York, París o Londres. ¿Qué ha pasado durante este tiempo? ¿Tanto ha cambiado todo? ¿Ha nacido un *nuevo* Priorat?

Los hay que hablan con atrevimiento de milagro económico. Quizás no les falta razón. A principios de la década de los noventa del pasado siglo XX, en la denominación de origen Priorat (al margen de cooperativas) las bodegas particulares apenas eran diez; en cambio son unas cincuenta las que inauguran el siglo XXI. Y entre esta cincuentena se cuentan auténticos imperios vinícolas como Osborne, Pinord, Codorniu, Torres, Freixenet, Castell de Perelada, cantautores céle-

Pero tanto o más que en el terreno de la economía, lo que está vivo en el Priorat es un renacimiento social, una especie de catarsis –lenta, naturalmente– capaz de convertir pueblos enteros de militantes del escepticismo en gente que ahora tiene alguna esperanza depositada en el futuro y, lo que es más importante, en el presente. Merced al vino, ahora el Priorat cree en algo. Hay jóvenes que, por primera vez en cien años, vuelven al campo con vocación de payeses. Hay escuelas que, por primera vez en cien años, crecen en número de alumnos. Hay pintores que cambian la brocha por la azada. Se abren vinaterías pulcras en pueblos donde no se abría un comercio desde ni se sabe cuándo. El turismo que peregrina detrás del vino se deja ver y notar paulatinamente. Se estrenan camas y restaurantes. Se vuelve a hablar en los cafés del precio de la garnacha y la cariñena. Y lo que es fundamental: los prioratinos vuelven a creer en sí mismos después de un siglo de decadencia económica inaugurada fatídicamente por la plaga de la filoxera.

Ya lo ven, el vino más pujante no sale de Beverly Hills, sino del Priorat. Los nueve municipios de la Denominación de Origen Calificada (D.O.C.) Priorat concentran poco más de dos mil habitantes. Lo repito por si pueden pensar que se trata de un error de imprenta: poco más de dos mil almas repartidas en nueve municipios.

Y es que en el Priorat, a pesar del renacimiento, la vida cotidiana sigue su curso al ralentí por las calles. El último de los pregoneros, Juanito, cornetín en mano,

Detalle de una casa señorial de Torroja, vestigios de los buenos tiempos
vinculados al vino.

Detail of a seigniorial mansion in Torroja. Vestiges of the good old days linked to wine.

Y el paisaje austero ha permanecido casi inmaculado, sin una sola fábrica que escupa humo, abandonados muchos de los campos a su suerte, a su desgracia, hasta que la historia decidió cambiar de rumbo.

Dos son los Priorats que iniciaron el siglo XX –y podríamos hablar de muchos más, tal es la diversidad del Mediterráneo–. El Priorat que renace y se proyecta hacia el futuro como una referencia para el vino de calidad, de autor, de alta expresión o como quiera que lo llamen, y el Priorat que ha resistido numantinamente a la filoxera, al despoblamiento galopante y a las siete plagas de Egipto. Y los dos Priorats son inseparables, uno y otro se necesitan para explicarse y para mantener el impulso de su particular *salto adelante*. Que una de las grandes revoluciones del vino mundial de finales del siglo XX –aunque todavía sea embrionaria– se haya iniciado en una tierra pobre de solemnidad, no es casual y, al mismo tiempo, le confiere un plus de valor humano y de trascendencia social que no hubiese tenido, por poner un ejemplo, en la bronceada California de celuloide y lentejuelas. La revolución sólo era posible en una tierra que se tenía que reinventar.

Del esplendor pasado

El renacimiento ni nada de lo hoy en día es el Priorat puede entenderse sin remontarnos a la plaga de la filoxera. La *Phyloxera vastatrix*, un insecto que se alimenta del jugo de las raíces de las vides, llegó al pueblo de Porrera en 1893. En pocos años, antes de que el siglo XIX finalizara, en el Priorat no quedaba ni una de sus cepas. Un gusano devastador, un gusano insignificante, había acabado en un visto y no visto con un vino que, ya en aquella época, gozaba de prestigio y reconocimiento en el mercado internacional. Es más, en el momento de la devastación vivía un momento dulce. Las fachadas señoriales de la segunda mitad del XIX de Porrera o de la calle Major de Poboleda hablan de ello claro y alto.

En todos los pueblos hay edificios que, en aquel final del siglo XIX, fueron testimonios de cómo el tiempo se detenía. Poboleda tiene una iglesia de dimensiones catedralicias que nos invita a viajar a una época de mayor esplendor, de esplendor a secas. Si se tiene la oportunidad de visitar Cal Pellicer o Cal Amoròs, en Porrera, entenderemos perfectamente que el Priorat era una tierra rica o, dicho de otro modo, que en el Priorat había señores ricos, como en todas partes, que se vieron abocados al desastre. Y con ellos, todos. En Cal Compte, en Torroja, encontramos la metáfora precisa: unas lujosas paredes murales de la época, de azules y amarillos brillantes, permanecen atravesadas por la chimenea ennegrecida de una estufa de cáscara de avellana.

El Priorat contaba en 1893 con 17.000 hectáreas de viña. Casi no se salvó ni un y, lo que es peor, el Priorat no fue capaz de volver a levantar cabeza. La vi

continúa anunciando en la plaza del pueblo de Lloar que pronto pasarán a revisar los contadores de la luz. En Vilella Alta, al colmado le basta con atender dos días de cada siete. En la mayoría de pueblos, el ayuntamiento está abierto a ratos, unas pocas horas a la semana. Se circula por carreteras tortuosas de trazado imposible que, de unos pocos años a esta parte, comienzan a enderezarse. La venta ambulante es imprescindible en casi todas partes. El pescadero toca el claxon de la furgoneta para anunciar su llegada.

que había dado vida a los pueblos, se convertía en portadora de muerte y desolación. El goteo de emigración ha sido imparable durante un siglo. Mientras otras zonas vinícolas de toda Europa superaban la crisis, el Priorat no conseguía resurgir. "Fue entonces cuando se inició el éxodo hacia la ciudad de aquellos pueblos que, ricos y risueños, se convirtieron en tristes y agotados hasta tal punto que en algunos casi han quedado más casas que personas", publicaba una revista catalana *(Esplai)* en 1934.

El insecto no se contentó con chupar solamente las raíces de las viñas. La prensa habla en los años veinte de fatalidad, de crisis psicológica y moral, de apatía, de aletargamiento colectivo, de impotencia. La revista *Montsant* describe así la situación en el año 1909: "hoy entre algún oasis plantado de viñas, no se ve más que una alfombra de malas hierbas... Nada ha quedado entre nosotros de aquel país llamado Priorat, sólo la osamenta y el nombre". Resignación por todas partes; y duradera, muy duradera.

De la anemia al renacimiento

El declive, lento pero progresivo, se prolongó mucho tiempo, demasiado tiempo. El Priorat llegó anémico a los años ochenta de Reagan, Felipe González y el fax. En la comarca, de las 17.000 hectáreas de viña del siglo XIX quedaban 800 (y a la cifra no le falta ningún cero) en 1990, cuando apenas comenzaba a germinar el resurgimiento. En el Priorat todo parece pasar de largo. Todo excepto unos cuantos apasionados del vino que, en la década de los ochenta, comenzaron a adquirir unos pocos bancales y cuestas y, en relativamente poco tiempo, consiguieron con sus explotaciones vinícolas la aprobación de la crítica internacional. Quedaba inaugurado el *boom* del Priorat. Se les ha llamado de muchas maneras (los cuatro magníficos, los pioneros, los robinsones del nuevo Priorat), pero sus nombres son: René Barbier, Carles Pastrana, Josep Lluís Pérez, Álvaro Palacios, Daphne Glorian y otros que, por lo que fuera, "yo soy yo y mi circunstancia", no figuran en la relación de los autores que lucen una especie de aureola mítica.

Desde entonces, desde que en 1992 sacaron al mercado sus vinos, nada ha sido lo mismo. Hay que reconocerlo. La prensa especializada no ha ahorrado elogios. Desde 1995, *The Wine Advocate* y Robert Parker, el gran gurú norteamericano del vino de finales del siglo XX, no ha dejado pasar un año sin situar algún Priorat entre los mejores vinos del mundo. Subastas en Christie's —en el Park Avenue más *in*— de *L'Ermita* de Álvaro Palacios al lado de otras joyas de la corona de la enología planetaria. Francis Ford Coppola cargando unas cuantas cajas de Priorat en su jet privado en el aeropuerto de Barcelona. Ministros y ex ministros de toda clase y filiación política declarando su pasión por los vinos ne-

Los juegos y las risas de los niños rompen, sin contemplaciones, algunos de los largos silencios presentes en las calles del Priorat.

Children laughing and playing cut stridently through the long silences that prevail in the streets of the Priorat.

gros del Priorat. Portadas de revista. Precios en alza. Exportaciones a medio mundo. El mercado a sus pies. Aplausos y reverencias de críticos y de sumilleres. El frasco de las esencias se había abierto en una comarca que, en aquella época, tenía una renta bruta familiar per cápita más de ocho puntos por debajo de la media catalana.

"Begin the begin"

Sin embargo, nadie puede pensar que los soñadores de los nuevos vinos Priorat han inventado la sopa de ajo, que el renacimiento arranca de la nada, que en el Priorat estaba todo por hacer de idéntica manera que un vinatero decide plantar una cepa en una llanura infinita de Nueva Zelanda. No es eso. En el Priorat lo que hacía falta era reinventar, recomenzar, repensar, refundar, volver a construir, *begin the begin*. A este respecto hay citas muy clarificadoras, por no decir clarividentes. En los años cuarenta del siglo pasado, el periodista Ramón Aliberch, en un libro que lleva por título *Monumentos y maravillas de Cataluña*, decía cosas como ésta: "y es que el vino del Priorato no se ofrece con la debida astucia, falta el hombre que sepa valorizar un diamante como es el vino del Priorato". Otra sentencia obligada, casi un clásico, tiene fecha de 1979 y nos la dejó el visionario Jaume Siurana (un auténtico entendido en vinos, fundador del Institut Català de la Vinya i el Vi de Catalunya) en su libro *Els vins de Catalunya*. Decía lo siguiente: "es en los vinos del Priorat donde tenemos en Cataluña el diamante en bruto que, debidamente tallado, pulido y canteado, puede darnos el más esplendoroso brillante, entre los negros de cuerpo, de nuestra tierra".

Pero lo que nadie podía pronosticar en aquel final de los setenta de *footing* y John Travolta, es que Jaume Siurana incluso se quedaba corto: el diamante podía llegar a ser —debidamente tallado, pulido y canteado, eso sí— uno de los más excelsos vinos de España y un referente para todo el mundo por lo que se refiere a vinos de alta expresión. Todavía nadie intuía que el revulsivo estaba un poco más cerca hasta el punto de que, veinte años después, el Priorat conseguiría encabezar la tendencia renovadora de los vinos de toda Cataluña y contagiaría de su coraje a otras denominaciones catalanas. Pero no solamente hablamos de los vinos catalanes: el Priorat se ha convertido en una experiencia que es preciso tener en cuenta, en un modelo para los vinos de autor. Hay quien afirma que la del Priorat ha sido la segunda gran revolución del vino español después de la reinvención de la Ribera de Duero.

Y así hasta convertirse, a finales del año 2000, en la segunda D.O.C. de España, junto con la de Rioja, demostrando con su reglamento lo que decíamos: que la del Priorat es una revolución mucho más que vinícola. Por ejemplo, la D.O.C. determina que el 100 por ciento de la producción embotellada se tiene que elaborar en origen, es decir, en los nueve municipios de este territorio vitivinícola. No está permitido recoger la uva y salir corriendo a efectuar la vinificación lejos, a 50 o 500 kilómetros de distancia. La riqueza se tiene que invertir en esta tierra sufrida, ésta es la norma. Las bodegas se tienen que levantar, piedra a piedra, en estos municipios. Y gracias a esto y a la demanda del mercado, el Priorat embotella hoy en día toda su producción.

La resistencia titánica

Sería injusto atribuir el mérito de esta revolución solamente a los productos de nuevo cuño. Los grandes vinos del Priorat no se entenderían sin las viñas viejas aferradas a las pendientes de licorella de donde sale la primera materia, la escasísima uva, que unos cuantos payeses obstinados han seguido cultivando titánicamente a pesar de los años y los estragos. Lo han hecho en pendientes inverosímiles absolutamente incompatibles con los tractores y con cualquier clase de maquinaria agrícola. Son cuestas pobres y peladas en las que, en algunos casos, hay que vendimiar atado a alguna parte, casi asegurado como un alpinista, si no se quiere caer y rodar hasta el llano como lo haría un guijarro. El Priorat es tierra de mula y borrica que algunos pocos vinateros, fieles a la tradición, continúan teniendo como socios insustituibles del trabajo en el terruño. Y todo para exprimir la tierra y acabar sacándole a cada vid poco más de un kilogramo de uva, y eso cuado la naturaleza se muestra generosa. Casi como quien escarba un pozo para un solo diamante.

Infinidad de veces he oído a un familiar relatar cómo un día discutió airadamente con un agricultor del Penedès, la región vitivinícola por excelencia de Cataluña, la tierra del célebre cava, al negarse éste a creer que una vid del Priorat sólo producía cerca de un kilogramo de uva. Tal era su incredulidad por una producción tan extremadamente baja que, convencido de que le estaban gastando una broma de mal gusto, que le querían tomar el pelo, acabó enfadado con la concurrencia. Como atenuante del agricultor desconfiado hay que tener en cuenta que la media de producción de una vid en el rico y no tan lejano Penedès se estima en 10 kilogramos. Entonces, poco podía pensar nadie que los pequeños y grandes vinateros del Penedès acabarían haciendo acto de presencia en el Priorat a la búsqueda de cosechas menos industriales y de unos vinos más artesanales.

Hay payeses prioratinos —la tradición en mayúsculas— que han tenido que esperar a la jubilación, cuando no a los ochenta años, para ver con sus propios ojos cómo las viñas viejas de garnacha y cariñena por las cuales nadie daba un duro, se convertían como por arte de magia, de la noche a la mañana, en rentables, valoradas, respetadas y, como quien dice, en patrimonio de la humanidad. En plena fiebre del oro se han dado casos excepcionales en los que se ha llegado a pagar casi diez veces más por el mismo kilo de uva que unos años antes (de 0,60 _ a 6 _). Que los payeses no hayan lanzado la toalla es otro de los grandes prodigios de esta tierra, donde hacer buen vino, además de sacrificado, es caro, carísimo. Hay fincas que han visto multiplicado por tres su precio. Y la superficie de viña cultivada casi se ha duplicado en relación a mediados de los años noventa del siglo XX.

La uva. De nuevo vuelve a ser el fruto de la vid el que da vida y futuro a este país.

Grapes. Once again it is the fruit of the vine that endow this land with life and future.

"Allegro ma non troppo"

Así pues, a algunos el éxito les ha llegado a los 70 años. Nunca es demasiado tarde, nunca se es demasiado mayor, aunque ahora sea preciso seguir escrupulosamente las indicaciones de los enólogos que hay detrás de los vinos de la nueva era. Son enólogos jóvenes, en su mayoría, formados en la escuela de enología de Falset o en la cercana Universitat Rovira i Virgili de Tarragona. Por estas instituciones han pasado, en uno u otro momento, como maestros o como alumnos, cuando no las dos cosas, los enólogos que han reinterpretado la sinfonía del Priorat, *allegro ma non troppo*. Actualmente, en tiempo de vendimia en muchas de estas bodegas hay estudiantes en prácticas. Los hay de medio mundo.

Junto con las instaladas recientemente, las bodegas de toda la vida han realizado esfuerzos para adaptarse. Han pasado de vender a granel a iniciar una renovación que les ha llevado a embotellar. Hace unos años vendían el vino en los bajos de la casa. Ahora las hay que lo exportan lejos, muy lejos. No deja de ser revelador lo que ha sucedido en Gratallops, un pueblo de poco más de 200 habitantes. Durante veinte años existió una única bodega familiar. Actualmente, además de ésta, hay catorce más.

En algunos casos, los bodegueros históricos se han asociado con grandes firmas. El Priorat vinícola, pues, ya no lo integran solamente los iniciados e iniciadores del resurgimiento. Se habla de diferentes oleadas de vinos. Y entre los protagonistas de estos sucesivos impulsos hay experiencias que, más allá de su interés vitivinícola y enológico, evidencian que, en las pequeñas cosas de cada día, en la manera de tomarse la vida, el Priorat también está cambiando.

Si la emigración ha sido uno de los flagelos de los pueblos prioratinos durante todo el siglo XX, ahora los hay que, gracias a los nuevos vinos, regresan a la casa de sus antepasados después de que sus padres o sus abuelos hiciesen las maletas para marchar a Barcelona. Los hay que no regresan para quedarse un día sí y otro también, pero sí que se animan a recuperar la casa paterna en un Priorat que, ahora sí, goza de prestigio e incluso de un cierto *glamour*. Decir hoy día que eres del Priorat queda la mar de bien, cotiza al alza. Aunque parezca mentira, en esto también se ha ganado alguna cosa. Hace unos años, en Cataluña todo el mundo sabía que en el Priorat se hacían vinos. Ahora todo el mundo sabe, incluso en la otra punta del planeta, que los vinos que allí se hacen son excepcionales y que emocionan.

Pero no todos los que hacen vino en el Priorat han llegado de tierras lejanas, como algunos piensan. Los hay que sí, eso es cierto. Pero hay otros que, de la nada, se han lanzado a la aventura de plantar y replantar y, de paso, contribuir al auge después de tanta caída en picado vivida en sus propias carnes, en las localidades que les han visto nacer. En el Priorat, en estos comienzos del siglo XXI, hay jóvenes que deciden arriesgarse. ¿Qué ha cambiado? ¿Por qué no lo hacían antes? Antes no había perspectivas, ni tan siquiera futuro. Y sin futuro ¿por qué arriesgarse?

Vocación artesana

Y es que, a pesar de que en el Priorat hayan aterrizado —y todavía lo están haciendo— las grandes potencias catalanas, españolas y francesas del mundo del vino, el modelo de bodega que se ha implantado es de dimensiones reducidas y de vocación artesana. Incluso las grandes casas buscan en el Priorat un toque de distinción para su marca y pretenden elaborar aquí algunos de sus vinos más cotizados, más elegantes, sus vinos de firma. Hay bodegas de las más pequeñas que no pasan de las cinco mil apreciadas botellas. Todo apunta —aunque esto solamente lo podrá confirmar el futuro— que la tendencia favorece a los pequeños elaboradores y las bajas producciones, los vinos de alta personalidad surgidos de cuestas y bancales que, por sí solos, ya son un regalo de la historia, la tradición, el paisaje y la naturaleza. Un perfecto equilibrio entre renovar y conservar, entre modernidad y tradición.

Hay bodegas donde parece imposible que en tan poco espacio pueda caber una sala de tinas y una sala de barricas en las que elaborar algunos vinos que han enamorado a los críticos y a los apasionados de medio mundo. Esto ha sido el Priorat de los últimos años: cada cinco minutos, en rincones impensables, nacía una bodega. Los ejemplos se tocan.

Muchos han puesto los ojos en el modelo de Borgoña o de Sant Emilion, y desean que el Priorat acabe consolidándose como una zona de vinos clásicos del mundo. Pronostican que el número de pequeños productores puede ir creciendo progresivamente en las próximas décadas en esta tierra donde, eso sí, el paisaje es más siciliano que francés. Ésta es una tierra de viñas con alguna higuera aparecida de la nada, de olivos plateados tan retorcidos como los caminos que nos conducen allí, de muros de piedra seca prodigiosos y de casetas de campo de una sobriedad casi cartujana.

Junto con Gratallops, Porrera es uno de los pueblos donde más se ha dejado notar el renacer. Que uno de los cantautores catalanes más internacionales, Lluís Llach, se instalase a vivir permanentemente en el lugar fue un factor clave. Pero que, además, entrase en el negocio del vino, también contribuyó. En Porrera, en tiempo de vendimia, hay agricultores que llegan a la plaza con dos o tres cestos de uva. Se podrían contar los granos: uno, dos, tres. Es la cosecha de la mañana o de la tarde, no hay más, lo que toca aquel día, la materia primera exigua de un vino que, naturalmente, se hace pagar y se tiene que saber valorar.

El colegio se queda pequeño

Gracias a la nueva era que vive el Priorat, Porrera –cerca de 500 habitantes– manifiesta un vigor impensable hace sólo cuatro días. Hace unos años cada día salía del pueblo un auténtico gentío para ir a trabajar fuera. Ahora la cifra en parte se ha invertido: cada mañana se van una cincuentena de trabajadores y llegan otros tantos. En Porrera, además, ahora hay más niños. Quiero decir que hay más niños y niñas que hace pocos años. El colegio ha pasado de tener veinte alumnos a mediados de los años noventa a superar los cuarenta en determinados momentos. Y estas cosas, en los pueblos pequeños, son media vida, por no decir la vida entera. En Porrera vuelven a escucharse niños jugando en la calle, aquí y allá, y la escuela se ha tenido que ampliar. Lo impensable.

También por las calles de Vilella Alta me encuentro con niños. Se llaman Catriona, Isabel, Lucía y Etienne. Son hijos de ingleses, franceses y españoles que se han enamorado del Priorat y tienen casa de fin de semana y vacaciones en una calle imposible de escalar en bicicleta. Esto ya pasa en el Priorat: una bicicleta puede resultar un trasto inútil, por buena voluntad que se ponga, si tienes diez años y no tienes un proyecto firme de conquistar el Tour de Francia a lo largo de tu existencia. Comienza a suceder que hay extranjeros que vienen al Priorat a descubrir, llenos de curiosidad, la tierra donde se hace el vino y acaban sucumbiendo a sus otros encantos. No es extraño. En el Priorat la desgracia de un siglo ha hecho que todo pasara de largo. Por no haber no hay ni un semáforo. Ni uno. Y no es por romanticismo del pasado ni por celo tradicional. No los hay porque no han hecho falta ni la hacen. Pero, paradójicamente, la parálisis económica de una centuria es, hoy día y por decirlo en términos económicos, uno de los grandes *valores añadidos* de la comarca y, al mismo tiempo, de sus vinos.

No se han efectuado grandes aberraciones urbanísticas. Casi no hay industrias. No hay fábricas humeantes. Muchos paisajes están como si nadie los hubiese tocado en toda la eternidad, aunque los nuevos bancales ganan terreno poco a poco. Descubrir que el excepcional vino Priorat se elabora en una tierra tan o más excepcional, contribuye a fomentar el prestigio. El vino ha sido la llamada, y el Priorat comienza a dibujar su modelo de desarrollo turístico, pero también paisajístico y económico. El olvido de toda la vida, el aislamiento, lo que antes se veía como una gran tragedia se perfila como un elemento distintivo, un lujo para sus habitantes y para los que los visitan.

Jazz un sábado de agosto en Gratallops.
Nuevas propuestas han llegado de la mano del vino.

Jazz on an August Saturday in Gratallops.
New activities have come thanks to the resurgent wine industry.

La atracción del vino

Hay sorpresas escondidas, notas pintorescas, en cada esquina. Pero en el Priorat el pintoresquismo no es de cartón piedra: es verdadero. Los pequeños colmados conservan algo de las tiendas de ultramarinos de antes, donde había un poco de todo. En los cafés, que no conocen el PVC, hay quienes fuman caliqueños. En verano, se continúa tomando el fresco en las plazas y charlando. El vecino que, con la cabeza gacha, te dice "¡con Dios!" puede tener en su casa una colección de vinos rancios inolvidables, más viejos que la rueda y el fuego. Hay rincones que, de verlos, darían envidia a Provenza a pesar de haber la mitad de flores. Si te fijas, ves tierras que fueron cultivadas en cumbres donde no se hubiera atrevido a subir ni Neil Armstrong. Los hay que juegan a bolos en la plaza. Hay ermitas que han pisado más ascetas que el Vaticano. Y el Montsant –una enorme muela de piedra que cuando se pone el sol se colorea de azules y rosas– lo preside todo majestuosamente.

Cada vez es más habitual que los promotores turísticos de la cercana costa organicen o recomienden salidas a sus clientes para conocer el Priorat, la tierra de los vinos de lujo. Hay extranjeros que se desplazan desde Barcelona porque no conciben haber estado en Cataluña y no haber visitado el Priorat de sus amores (vinícolas). En la comarca surgen iniciativas turísticas que demuestran que las posibilidades son infinitas: desde vacaciones gastronómicas dirigidas al mercado norteamericano y japonés, hasta casas de payés a la manera de la Toscana o Provenza. En Gratallops, en pocos años se han abierto nuevos negocios de restauración. La oferta es cada vez más amplia y, al mismo tiempo, más cuidada. Pero, en conjunto, todavía falta mucho, el vino ha ido muy deprisa y cuesta seguirlo.

Así pues, socialmente el vino no sólo ha impulsado el sector vitivinícola, sino que se ha convertido en el motor de unos pueblos donde nadie sabía cuál era el modelo de desarrollo más allá de la fábrica mágica que se aparecía en los sueños más cotidianos. Ahora, en cambio, se comienza el siglo XXI impulsando una carta del paisaje que establezca las directrices y la normativa que será preciso seguir a la hora de abordar la modernización del terruño. Se trataría de no perder en dos días los privilegios paisajísticos y naturales, el patrimonio histórico del vino, conservados durante toda una vida a costa de miserias y sufrimientos. Es más, la movilización social y política y el apoyo de parte del sector vinícola consiguió detener un plan del gobierno que pretendía convertir la comarca en uno de los grandes centros de producción de energía eólica de Cataluña. El Priorat alegó que este plan gubernamental era incompatible con el proyecto de exquisitez vinícola y paisajística que se había iniciado. El Priorat ha comenzado a debatir cuál es su modelo de desarrollo y, paralelamente, la principal sierra de la comarca, el Montsant, ha logrado la declaración como Parque Natural. El debate está abierto y el tiempo ya dirá.

En construcción

En ocasiones, todo parece que comience desde el principio, cada día surge alguna iniciativa empresarial o de cualquier otro tipo. Hay mil y un proyectos: más bodegas, vinacotecas, centros de interpretación, se habla de cultura del vino. El Priorat es una tierra en construcción o, si lo prefieren, en reconstrucción. Las ruinas de la cartuja que dio nombre al Priorat y que, de una manera lenta se están consolidando, son, lógicamente, uno de los grandes atractivos turísticos: fue en este monasterio, la primera cartuja de la Península, donde se impulsó el cultivo de la viña. Incluso las minas de plomo de Bellmunt, que en los años setenta cerraron después de siglos, se han reabierto y convertido en un museo bajo tierra. Bajar es una oportunidad única de contemplar las entrañas de la tierra de donde nace el vino Priorat. Una excelente manera de conocer la explotación de las minas que, en los tiempos más magros de la payesía, contribuyó a mitigar la crisis, el hambre y la impotencia.

Cuando estás en el interior de las antiguas galerías de la mina se entiende, una vez más, que en el Priorat nada ha sido nunca fácil. Ni lo será. Ésta ha sido una tierra tradicionalmente de cartujos y de eremitas que, en algunos casos, todavía habitan en ermitas con la única compañía de su Dios y de su rosario. El Priorat ha sido siempre una tierra a medio camino entre la búsqueda de la espiritualidad y la lucha por la supervivencia. Mientras los ascetas rezaban, los bandoleros, a golpe de trabuco, campaban por el Montsant. Aquí han tenido lugar todas las guerras y ahora los prioratinos libran su particular combate contra el pesimismo.

En 1835, los cartujos de Scala Dei fueron expulsados del cenobio por decreto del ministro Mendizábal. A los prioratinos de la época les entró una especie de fiebre del oro. Estaban convencidos de que la cartuja estaba llena de montañas y más montañas de joyas y riquezas acumuladas durante siglos de diezmos y primicias. Durante años miraron debajo de las piedras, sin éxito. El oro no apareció nunca, fue una quimera. No es un cuento. La fiebre del oro de 1835 me viene a la memoria cuando la gente habla de vinateros que han llegado al Priorat convencidos de que harían "duros a cuatro pesetas" y que, en algunos casos, ya han visto que elaborar vino en una tierra tan difícil y escarpada no resulta ninguna bicoca. O quieres y entiendes el Priorat o la tierra puede acabar contigo y con tu negocio. De ello tiene sobrada experiencia.

ANNA FIGUERAS

Priorat, sinónimo de vino

El topónimo Priorat está vinculado al concepto de vino desde hace siglos. La suma de un suelo, un clima, una orografía y el trabajo de los hombres y mujeres que lo han elaborado siguiendo las técnicas de una tradición milenaria con la ayuda, hoy, de una tecnología adaptada a los requerimientos de la calidad, ha dado lugar a un producto único y exclusivo: el vino del Priorat.

Fueron los monjes cartujos procedentes de Provenza, establecidos en 1194 al pie de la cordillera del Montsant, los primeros en reconocer y saber aprovechar las cualidades del territorio para el cultivo de la viña y la elaboración de vino. Con toda certeza, los cartujos escogieron aquel lugar porque reunía las condiciones adecuadas para atender los preceptos de soledad, contemplación y recogimiento propios de la orden, mientras que la existencia de agua les aseguraba la subsistencia. Sin embargo, en lugares cargados de valor simbólico la tradición construye su propia versión de los hechos y la historia se convierte en leyenda.

La narración explica cómo el rey Alfonso I el Casto envió dos caballeros a recorrer el país para localizar un lugar idóneo para que la orden de los cartujos se instalase en Cataluña. Una vez llegados al pie del Montsant, les llamó la atención su singular belleza y preguntaron a un pastor sobre aquel lugar. Además de informarles, el pastor les relató un hecho sobrenatural que desde tiempo atrás sucedía en el valle. En el pino más alto aparecía una escalera por la que subían y bajaban ángeles. El pretexto estaba servido, los caballeros lo comunicaron al rey, el cual ofreció aquel lugar a la orden. Los cartujos levantaron el altar del templo dedicado a Santa María en el sitio donde se encontraba el árbol. La historia dio nombre al monasterio y al mismo tiempo generó una iconografía fuertemente arraigada en el territorio.

El vino en tiempos de los cartujos

En la Edad Media el vino se convirtió en un componente esencial de la dieta, razón por la cual a medida que los señores feudales iban conquistando territorios a los musulmanes los nuevos pobladores se apresuraban en plantar viña entre otros productos necesarios para la autosubsistencia. Al mismo tiempo, el vino se convirtió en un producto de prestigio para las clases acomodadas y un componente indispensable en los rituales religiosos cristianos, lo que explica el hecho de que la viña recibiera un impulso mayor en los territorios ocupados por las órdenes religiosas.

No obstante, son escasas las referencias escritas sobre la presencia de viñas o la producción de vino durante los primeros años de funcionamiento del monasterio. De hecho, la primera noticia conocida es de 1218, referida al vecino monasterio cisterciense del Bonrepòs, en el término de Morera. En un inventario de 1204 se enumeran viñas, toneles y lagares. Este monasterio pasó a formar parte de Scala Dei en el siglo XV. También en documentos de 1263, cuando Scala Dei adquirió el término de Porrera, se especifica que, además de las tierras y derechos, compra los toneles de vino y todas las herramientas necesarias para su elaboración, tanto las que había en el pueblo como las que se localizaban en las montañas de Prades.

Con los años, la cartuja de Scala Dei creció y se consolidó como señorío feudal. Se instalaron granjas en lugares estratégicos que serán el núcleo de los actuales pueblos: Gratallops, Poboleda, Morera, Porrera, Torroja del Priorat y Vilella Alta.

Aunque no disponemos de datos exactos, los documentos de la época dan pie a pensar en un progresivo aumento de los campos de cultivo. A través del pago de los diezmos –décima parte de la cosecha que se entregaba al prior– conocemos la variedad de productos que obtenían de la tierra. Poboleda, por ejemplo, en el año 1425 entregaba diezmos sobre todo en granos, legumbres, aceitunas, forrajes, mimbre, ajos, cebollas y vinos. Así pues, el vino se complementaba con otros productos de primera necesidad.

Los cartujos fomentaron la expansión del cultivo y descubrieron las excelentes aptitudes de la zona para la elaboración de vino. Conocían perfectamente los terrenos más adecuados para cada variedad, aplicaban estudios enológicos y establecían estrategias en el comercio, según nos consta en un manual procedente de Scala Dei: "Cuando haya a plantar viñas téngase cuidado con las plantas que se vayan a plantar en nuestro término [de Scala Dei], porque no todas las plantas son buenas, ni maduran por ser la tierra fría; en particular las plantas que se tienen que emparrar. Para vino negro sólo es conveniente plantar garnacha y *mataró*; de parra y albillo no es conveniente plantar, porque no madura aunque da buen vino y carga mucho, pues esta planta solo conviene en tierra caliente". Scala Dei elaboraba vinos de diversas clases: vino tinto, blanco, garnacha, vino moscado o moscatel, vino *remoscat*, vino griego y malvasía.

El siglo XVIII: la expansión de la viña y el comercio de aguardientes

A finales del siglo XV y durante buena parte del XVI, mientras muchos países europeos vivían tiempos de bonanza económica, Cataluña se encontraba en un período de inestabilidad política y de estancamiento social y económico. En este contexto floreció la industria holandesa del aguardiente y una clase acomodada inglesa que generó una fuerte demanda de bebidas alcohólicas. Hasta entonces, el sur de Francia había sido el principal suministrador de vinos a los comerciantes británicos y holandeses, pero los acontecimientos políticos en Europa generaron enemistades y bloqueos comerciales entre estos países y la situación cambió. Cataluña se convirtió en el principal proveedor, pasando a controlar los mercados internacionales del vino y aguardiente. Al mismo tiempo, la viticultura comenzó a recuperarse, favorecida por un período de paz y optimismo y un significativo aumento demográfico incrementado por la inmigración procedente sobre todo de Occitania.

Como consecuencia de la demanda internacional de vinos y aguardientes, el Priorat comenzó a especializarse en la producción vitivinícola. El aguardiente representaba una buena mercancía de intercambio y, al contrario de lo que sucedía con los vinos, ofrecía estabilidad, no se estropeaba y se utilizaba como bebida fuerte en las grandes travesías marítimas. Se añadía aguardiente a los vinos

para aumentar su grado y mantener más tiempo el producto en buen estado. Un payés de Porrera aconsejaba, a finales del siglo XVIII, "poner en la bota 4 cortes de aguardiente refinado por cada 8 cargas de vino". De cada cuatro partes de vino quedaba una de aguardiente y por lo tanto se ahorraban costes en el transporte, y la destilación se efectuaba en la misma localidad. Así pues, a comienzos del siglo XVIII eran muchos los pueblos que pedían permiso para instalar fábricas de aguardiente denominadas "ollas" o también "destilerías". Los primeros establecimientos conocidos en el Priorat se localizaron en Poboleda (1710), Morera de Montsant (1743) y Vilella Alta (1773).

La proximidad geográfica del Priorat con la ciudad de Reus favoreció la demanda de vinos de la zona. A lo largo del siglo XVIII, Reus fue el centro de fabricación de aguardiente más importante de Cataluña y, al mismo tiempo, se convirtió en una de las principales plazas mercantiles desde donde las grandes compañías organizaban expediciones comerciales que partían del puerto de Salou, de Tarragona y, en menor medida, de Cambrils. De ahí procede la mítica expresión "Reus, París y Londres". Así, por ejemplo, el puerto de Salou pasó de embarcar una media de 68.609 cargas entre 1773 y 1775, a embarcar 98.520 entre 1797 y 1798. Su destino eran los puertos del norte de Europa, especialmente franceses, holandeses e ingleses, y las colonias americanas.

Entre 1731 y 1815, el paisaje del Priorat cambió radicalmente y los bosques se fueron convirtiendo en campos de viñas. Así, por ejemplo, en 1752 la viña ocupaba en Torroja el 47,7 por ciento de los cultivos, mientras que en 1818 había pasado a constituir el 93,51 por ciento. Otro ejemplo de esta transformación lo encontramos en Gratallops, donde la renta agraria de los años 1804-1808 muestra que el vino representaba casi el 70 por ciento del total. A lo largo del siglo XVIII se acumularon grandes capitales y la comarca nadaba en la abundancia, tal como se afirma en un informe comercial de 1796: "Las gentes del Priorat están acostumbradas a vender sus vinos a 12, 13, 14, 15, 16 y 17 libras, con esto están llenos de dinero, carecen de necesidades". Scala Dei llegó a tener en estos años las rentas más altas de todos los monasterios de la diócesis de Tarragona.

El incremento del nivel de vida llevó a los pueblos a intentar liberarse de las cargas feudales, totalmente anacrónicas pero que todavía subsistían y pesaban sobre la población. Poboleda, Porrera y Morera mantuvieron una larga serie de pleitos contra el señorío de Scala Dei. En Porrera, en 1764, cuando el monasterio pretendió una aplicación demasiado rigurosa del diezmo, alguien incendió dos pipas de aguardiente de la casa de los frailes que había en el pueblo, que estallaron y vertieron el líquido encendido; años después, al no haberse solucionado nada, el sabotaje consistió en extraer una gran cantidad de vino de uno de los lagares de la casa.

El testimonio del viajero inglés Henry Swinburne, en 1775, nos confirma la buena fama de que gozaron los vinos del Priorat en un comentario referido a la ciudad de Reus: "Las principales producciones de Reus son: el vino y los licores. El mejor vino para beber es el que se recolecta en las montañas que pertenecen a los cartujos; el vino del llano produce alcoholes más bien para quemar".

El siglo XIX: la edad de oro de la viticultura

En el siglo XIX la viña era el primer cultivo de Cataluña y en el Priorat continuaban aumentando las extensiones destinadas a viñas en detrimento del bosque y las tierras yermas. La supresión de las comunidades religiosas por parte de los regímenes liberales supuso el fin del Priorat como jurisdicción feudal y la destrucción del monasterio de Scala Dei. En 1820, el gobierno abolió las comunidades monacales y en 1821 se subastó su patrimonio. Sin embargo, en 1823 fue nuevamente instaurada la monarquía absoluta y los monjes de Scala Dei regresaron y recuperaron parte de sus bienes. Pero finalmente, hacia 1835 un nuevo cambio de gobierno suprimió las órdenes religiosas por segunda vez y sus propiedades fueron definitivamente vendidas, siendo adquiridas por comerciantes y hacendados que no dudaron en poner una buena parte de las tierras a producir.

A partir de 1840 comenzó un nuevo período de bonanza económica para el Priorat. Con la supresión de los diezmos en 1841, se produjo un cambio en las formas de producción, todavía de raíces feudales, hacia un incipiente modelo capitalista que permitió un aumento significativo en las rentas de los payeses. La superficie plantada volvió a incrementarse rápidamente puesto que se pusieron en producción las antiguas propiedades de Scala Dei, que en un 80 por ciento todavía permanecían incultas. Por ejemplo, en un *mas* situado en el término de Porrera la viña pasó de 7 jornales en el 1800 a 145 en 1846. El estímulo de las ganancias del vino y las exigencias de mano de obra de los trabajos vitícolas favorecieron el establecimiento de nuevas familias y un significativo aumento demográfico.

Esta prosperidad de la viticultura se vio quebrantada a comienzos de la segunda mitad del siglo por la aparición de una enfermedad desconocida hasta entonces: el oídio, llamada popularmente *malura vella* o *cendrosa*. La producción de las cosechas de los años 1854-1855 se redujo a una décima parte de la habitual hasta que en 1860 se descubrió el remedio. A partir de este momento, el azufrado fue una tarea y un gasto anual más del cultivo.

Pocos años después, los viñedos europeos fueron invadidos por una nueva enfermedad: en 1868 aparece la filoxera en Francia, extendiéndose rápidamente. La producción de vino francés se redujo, lo que les obligó a importar grandes cantidades para satisfacer la propia demanda interna. Cataluña, con las plantaciones intactas, se encontraba en una situación inmejorable para abastecer el mercado. El sector vitivinícola vivió un período de euforia económica, la llamada "fiebre del oro" de la viticultura catalana.

Prensa de 1829.
El Priorat marchaba hacia la gran expansión vinícola previa a la filoxera.

A press dating from 1829. Before the outbreak of the phylloxera plague,
Priorat wine production was well on the way towards major expansion.

Aunque los vinos del Priorat mantenían un alto prestigio y calidad, continuaban vendiéndose exclusivamente a granel a través de los mayoristas. Los comerciantes compraban los vinos directamente a los productores y en los almacenes, y después de las correspondientes manipulaciones se expedían hacia los mercados consumidores. La principal finalidad del vino del Priorat era la mezcla, sobre todo con vinos franceses que, gracias a las grandes cualidades de los vinos prioratinos, mejoraban sensiblemente. La casa francesa Viôlet compró durante muchas décadas grandes cantidades de vino de la zona para elaborar el Byrrh, un vino tónico aperitivo muy popular.

Las exposiciones universales que se organizaron a lo largo del siglo XIX contaron con una buena presencia de productores prioratinos. Por ejemplo, en la Exposición Internacional de París de 1878 se presentaron vinos macabeos, garnachas, moscateles, cariñenas, malvasías, blancos, rancios, dulces... Los comentaristas del momento destacaban la fuerza alcohólica –de 17 a 19 grados–, la gran calidad de las materias extractivas, el aroma agradable y una elaboración bastante cuidada. La asistencia a las exposiciones permitió a los propietarios ponerse al día en los estudios de enología y conocer los últimos avances tecnológicos. A lo largo de las últimas décadas del siglo se comenzaron a utilizar las máquinas pisadoras, mientras las prensas de madera iban siendo sustituidas por las de hierro, al mismo tiempo que se introducían las tijeras de vendimiar que poco a poco fueron arrinconando a los honcejos.

La gran demanda de vinos, las altas cotizaciones y la presión demográfica dieron lugar al incremento de la superficie cultivada, a pesar de la proximidad de la filoxera. En todas las vertientes, en las cuestas, por empinadas y pedregosas que fuesen, desaparecieron los bosques y se construyeron bancales que se poblaron de viña. Entre 1884 y 1886 los vinos consiguieron un buen precio. Pero en 1887 comenzó una crisis comercial, que se agravó posteriormente a consecuencia de los efectos devastadores de la filoxera.

La crisis del sector vitivinícola comenzó en 1887 debido a un fulminante descenso de los precios provocado por una drástica reducción de las exportaciones. Por una parte, Francia puso dificultades a la entrada de vino procedente de Cataluña y, por otra, se perdieron los mercados coloniales. Al mismo tiempo, los viñedos franceses, replantados prácticamente en su totalidad, comenzaron a producir.

En este contexto de declive económico apareció la plaga de la filoxera en el Priorat. La esperanza de que el collado de Alforja, Puigcerver, Teixeta y Argentera actuasen como muralla orográfica se perdió cuando en junio de 1893 aparece el insecto en el municipio de Porrera, exactamente el 27 de junio, en la Solana de les Viudes. Al año siguiente, la filoxera se encuentra en Vilella Alta y Gratallops,

en 1895 ataca Lloà y en 1896 se extiende hacia Morera del Montsant. En pocos años la filoxera acabó con las prestigiosas viñas del Priorat y con la cosecha de toda la comarca.

La sustitución de las viñas autóctonas por cepas de pies americanos indemnes al insecto –*Vitis rupestris*– fue la única salida posible para rehacer la economía de la zona. La abrupta orografía de los terrenos prioratinos no posibilitaba la reconversión de la viña en otros cultivos. El desastre filoxérico conllevó una desorientación general: se temía la desaparición de las variedades autóctonas, se ponía en cuestión la longevidad de las nuevas cepas y se dudaba de la calidad del fruto. A pesar de la buena disposición de los prioratinos, la replantación fue cara y lenta. Comenzó en las fincas más productivas, cercanas a los núcleos de población, mientras que los terrenos en pendiente más alejados se replantaron con más lentitud, y los de difícil acceso o de fuerte pendiente nunca volvieron a ser cultivados. Así pues, la filoxera produjo cambios en las extensiones de los cultivos y en el paisaje.

La replantación implicó la reducción de la diversidad de variedades cultivadas hasta entonces, así como la difusión de las ya dominantes de garnacha y cariñena, favorecida, esta última, por la mejor adaptación del injerto al pie americano. En menor proporción se utilizaron variedades como la malvasía, macabeo, albillo, moscatel, pansal, joven, Pedro Ximénez; al mismo tiempo, el patrón americano más generalizado fue el Rupestris de Lot y Riparia. Las nuevas plantaciones requerían muchas más labores y mayor especialización que las de antes de la filoxera. Los tres años de espera hasta conseguir una mínima cosecha agravaron la situación económica del payés. De hecho, sin la creación de los sindicatos y las cajas rurales difícilmente el viticultor habría podido hacer frente a los gastos de replantación y a los costos de producción. El Sindicato Agrícola y Caja Rural de Ahorros y Préstamos del Priorat, en 1905, un año después de su creación, gestionó mil cuatrocientas setenta y nueve operaciones de préstamo.

Ante la falta de perspectivas de mejora del sector vitivinícola y las escasas posibilidades laborales, el Priorat vivirá un proceso de despoblamiento. Con la primera crisis del sector vitivinícola en 1887, años antes de la llegada de la filoxera, ya se produjo un primer éxodo de población, que se acentuará con los efectos devastadores de la plaga. En los censos de 1887 y 1900, el Priorat pasó de 9.365 a 6.757 habitantes.

A lo largo del primer tercio del siglo XX la crisis se agravó considerablemente. La pésima política económica del gobierno español, que coincidió con unos años de malas cosechas a causa de una sequía persistente, llevó al sector vitivinícola a una situación insostenible. Finalizada la primera guerra mundial, en 1917 los gastos de producción, tanto en productos que el payés adquiría como en mano de obra, habían aumentado casi un 100 por cien. Por otro lado, el precio de venta se había mantenido estable debido a la gran cantidad de excedentes de vino que había en los mercados. En consecuencia, el viticultor perdía dinero en cada cosecha y durante algunos años llegaron incluso a vender a un precio inferior al de coste. Este desequilibrio entre ingresos y gastos se mantuvo a lo largo de las dos décadas siguientes. La falta de unos ingresos razonables para hacer frente a las nuevas plantaciones y a la adaptación de la explotación al sistema capitalista restó al viticultor capacidad para superar el mal momento.

Además, el gobierno francés dictó una ley que impedía que los vinos extranjeros se utilizaran para el *coupage*. Esto imposibilitaba prácticamente todas las exportaciones, puesto que el *coupage* era el destino final de los vinos españoles y especialmente de los del Priorat. Al mismo tiempo, los vinos eran adulterados por comerciantes y detallistas. En consecuencia, el Priorat era víctima de un doble fraude: además de la manipulación, se utilizaba el nombre de Priorat para vender vinos que no tenían nada que ver con los que se producían en los suelos de licorella, con el consiguiente descrédito del prestigio conseguido hasta entonces. Un contemporáneo lo denunciaba en 1923: "Solamente hay que recorrer cualquier calle de Barcelona y ver en letras bien grandes 'Vinos del Priorato', y si entráis en uno de tales establecimientos y pedís vino del Priorat os servirán una mezcla indecente que ni ha sido nunca vino ni aún menos del Priorat". Buena parte de los establecimientos que comercializaban vinos tenían entre sus productos una bota con un vino procedente supuestamente de la zona del Priorat como reclamo de calidad.

El movimiento cooperativo

Una de las iniciativas que se llevaron a cabo para superar las circunstancias fue el fomento y la creación de cooperativas. La afiliación en sindicatos agrarios permitió a los medianos y pequeños propietarios organizarse para hacer frente de manera colectiva a la difícil situación. El asociacionismo les permitió comprar productos a mejor precio, fórmulas de comercialización más ventajosas, la renovación de maquinaria y sobre todo resolver el problema de la escasez de mano de obra que, como consecuencia de las sucesivas oleadas migratorias, había dejado el Priorat bajo mínimos.

Para la gente del Priorat la creación de los sindicatos fue un esfuerzo titánico de voluntarismo y altruismo en un momento de recesión económica. En la mayoría de los casos, los créditos para la construcción de los edificios y para la compra

Campesinos con las aportaderas cargadas de uva.

Harvesters carrying wooden tubs laden with grapes.

de maquinaria se consiguieron poniendo como garantía los patrimonios particulares de los socios. En Gratallops se organizó el Sindicato Priorat de Scala Dei en 1917 y el mismo año el de Bellmunt. Dos años más tarde, el de Vilella Baixa, bajo el nombre de Sindicato Agrícola del Priorat. En Vilella Alta se creó en 1926 una cooperativa de consumo, mientras que el Sindicato de Agricultores se fundó en 1933. En Lloà un grupo de payeses compró una antigua bodega donde se elaboró la primera cosecha en 1930. En Porrera, el Sindicato Agrícola se fundó en 1932 mientras que el de Torroja lo fue en 1934 bajo el nombre de Sindicato Agrícola Centro del Priorat. La organización en sindicatos imponía un cambio de mentalidad y una manera de actuar diferente en unos momentos en que el sector requería nuevas prácticas de cultivo, asesoramiento en el uso de abonos y tratamientos fitosanitarios y la mejora de los procesos de elaboración, conservación del vino y comercialización.

La protección de un nombre

La crisis del sector vitivinícola afectó a todo el territorio catalán, pero en zonas como el Priorat se hizo más intensa. A las consecuencias generales que padeció el país, en el Priorat se añadía la poca productividad de las viñas, sobre todo por lo que se refiere a la mano de obra, y el incremento que representaba el transporte de la vendimia o del vino en una zona orográficamente accidentada y sin redes de comunicación.

A pesar de estas dificultades, los prioratinos eran conscientes de la excelente calidad de sus vinos y algunas voces comenzaron a difundir la idea de que potenciándola podían hacer frente a la crisis. Era preciso que el viticultor tomase conciencia de las posibilidades de sus vinos y dejase de venderlos como vino del año sometido a la especulación de los comerciantes y se plantease la posibilidad de elaborar reservas y venderlas con las debidas garantías. Una publicación local de 1922 se hacía eco del tema: "El vino del Priorat tiene gran renombre; el vino del Priorat ya tiene un nombre acreditado; el vino del Priorat es de una calidad tan superior, por su gusto, graduación, aroma característica y consistencia, que se mantiene, que cuanto más viejo es, más mejora, que podría competir con los vinos de marca más acreditados. Este vino elaborado convenientemente, haciendo vinos de marca y vendiéndolo embotellado, sería una gran riqueza, pero ahora de este tesoro que es nuestro vino no sacamos ningún provecho; nuestros vinos van al comercio para encabezar caldos de poca calidad de otras comarcas, pero pagándonoslo al precio corriente como un vino ordinario: esto explica la miseria del Priorat".

Para llevar a cabo este proyecto, y como una propuesta más de solución para afrontar el declive, era precisa una marca, un nombre que protegiese y garantizase la procedencia del vino tal como se había hecho en otras zonas vitivinícolas. El objetivo era recuperar el nombre de Priorat para que sólo los vinos procedentes de los municipios que habían pertenecido a la antigua jurisdicción de la cartuja lo pudiesen utilizar. De hecho, la fama internacional de los vinos del Priorat y la gran demanda de mediados del siglo XIX habían motivado el uso y abuso del nombre por parte de los comerciantes y se aplicaba a cualquier vino de alta graduación y abundante color elaborado en el sur de Cataluña. En 1927, por iniciativa de uno de los propietarios de Torroja, se hace un llamamiento público para pedir la colaboración de los ayuntamientos y de todos los interesados. En Porrera se unen activamente a la causa, organizando una campaña de sensibilización para los siete pueblos que habían pertenecido a la jurisdicción del Priorato de Scala Dei.

Los ayuntamientos acuerdan reivindicar, además de la unidad histórica para la antigua dependencia del prior, una unidad geográfica basada en criterios enológicos. El movimiento levantó euforia y una brizna de esperanza entre los viticultores del Priorat, dispuestos a llegar donde hiciera falta para "que nuestros vinos sean los únicos que con la etiqueta Priorat, la auténtica, la invariable, puedan lanzarse en el mercado. Habrá quien proteste, habrá que vencer fuertes resistencias; seguramente sí. Pero tenemos de nuestra parte la razón y pondremos nuestra causa en manos de los altos poderes del Estado. Los técnicos, pues, en

última instancia, fijarán los límites precisos". Se creó una comisión y el 22 de julio de 1928 se dirigió una instancia al Ministerio de Trabajo exponiendo los objetivos de la iniciativa.

En un principio, la idea encontró buena acogida entre las principales asociaciones agrícolas de la zona, aunque lógicamente originó alguna polémica. Polémica que se cruzó con la generada por las discusiones sobre la División Territorial de Cataluña impulsada por la Generalitat en 1931, todo ello rodeado por el ambiente de exaltación social y política que caracterizó los años de la República. En diciembre de 1931 tuvo lugar en Falset una asamblea de delegados y alcaldes donde se aceptó que los límites administrativos y los límites enológicos no coincidían y que fueran los técnicos los responsables de establecer la delimitación.

El Estatuto del Vino promulgado por el Ministerio de Agricultura, que regulaba la creación de los Consejos Reguladores, ya reconocía el Priorat como zona vitivinícola a proteger. El 5 de septiembre de 1933 se publicaba la orden por la que se constituía el Consejo Regulador de la Denominación de Origen Priorat con sede social en la Estación Enológica de Reus, cuyo director actuaría como presidente, y establecía un plazo de treinta días para redactar su reglamento.

Por diversas circunstancias no fue hasta enero de 1935 que se retomaron las gestiones y se abrió un nuevo período informativo de treinta días para que los municipios implicados presentasen alegaciones. Muchos municipios expresaron su interés en participar y finalmente en el mes de abril de aquel año se aprobó un proyecto que dividía las zonas de producción en dos: la denominada "Priorato Scala-Dei", que comprendía los siete pueblos que habían pertenecido a los cartujos, y otra de carácter más comercial que se denominaba únicamente "Priorato". El interés por parte de los comerciantes de incluir los municipios de Gandesa y Corbera en la denominación y la oposición de los pueblos del Priorat hizo fracasar el proyecto y no fue hasta mayo de 1936 que se volvieron a reunir. El estallido de la guerra civil en julio de 1936 interrumpió el camino hacia la garantía de calidad enológica.

En 1947, una vez mínimamente estabilizado el país, los responsables del Gremio Oficial de Criadores-Exportadores de Vinos de Reus y Tarragona comenzaron otra vez las gestiones para la creación de una denominación de origen, pero esta vez tampoco se llegó a un consenso con los límites. Finalmente, en 1953 se volvieron a iniciar los trámites a iniciativa de las cooperativas de los pueblos de la zona. Con la aprobación de la Denominación de Origen Tarragona, bajo la que se habían amparado los municipios de la discordia, habían desaparecido las anteriores discrepancias y, finalmente, el 23 de julio de 1954 quedó aprobado el Consejo Regulador de la Denominación de Origen Priorat, con sede en la Estación Enológica de Reus.

Finalmente, los vinos conseguían la personalidad jurídica necesaria para la protección del nombre y la calidad, así como la mejora de la comercialización y la posibilidad de evitar las manipulaciones y el fraude. En aquellos años, la existencia de la Denominación de Origen supuso ofrecer unas ciertas expectativas a la zona, muy castigada por el despoblamiento y por la crisis generalizada del mundo rural. Con la voluntad de organizarse administrativamente y que el Consejo Regulador fuese un instrumento eficaz de control para velar por la calidad y los intereses del territorio, se manifestó la urgencia de establecer los registros de viñas, bodegas de elaboración, bodegas de crianza y exportación. El Consejo quería dinamizar el sector y recuperar el prestigio de los vinos, participar en ferias e incluso propuso la creación de un concurso vinícola. Sin embargo, la Denominación de Origen no pudo responder a las expectativas y la recuperación del sector no llegó a producirse.

A finales de los años 70 el proceso de declive continuaba, cada vez más agravado por el constante despoblamiento, el envejecimiento de la población, la baja producción y las dificultades técnicas para los cultivos, que motivaban el abandono de las tierras. Las cooperativas iban pediendo socios, las instalaciones se quedaban obsoletas y las posibilidades de inversión eran prácticamente inexistentes, algunas incluso con problemas de funcionamiento por falta de mano de obra.

Los nuevos tiempos

La situación parecía irreversible cuando, a comienzos de los años 80, un grupo de personas conocedoras del mundo del vino y convencidas del potencial que tenían los prioratos, pero sin ser muy conscientes del efecto que provocarían, cambiaron radicalmente las perspectivas de la zona. En prácticamente una década la extensión de las plantaciones, la producción de vino y las bodegas se han multiplicado por cifras sorprendentes. Nadie, ni los más optimistas, podían imaginar esta emergencia de la zona.

El Consejo Regulador de la Denominación de Origen ha tenido que adaptarse en pocos años a la nueva situación. La posibilidad, en 1999, de trasladar su sede, hasta entonces en la Estación Enológica de Reus, al mismo corazón del Priorat, ha contribuido a facilitar las gestiones al mismo tiempo que ha posibilitado la implicación del sector. Otro acontecimiento destacado ha sido el reconocimiento como Denominación de Origen Calificada (D.O.C.), que ha supuesto la redacción de un nuevo reglamento que acentúa la importancia del territorio, recoge las innovaciones técnicas y establece rigurosas medidas de protección de los vinos con el fin de garantizar su calidad.

La D.O.C. Priorat se ha ganado un reconocido prestigio que, junto con el eco internacional de los vinos y sobre todo la comprobada calidad enológica de la zona, ha motivado la llegada de los grandes grupos tanto del sector vitivinícola de Cataluña como de empresas extranjeras, que no han querido perder la oportunidad de poder elaborar vinos de la gama alta.

Este resurgimiento se ha basado en saber aprovechar el potencial enológico de los terrenos con la aplicación de adecuadas técnicas de cultivo, vinificación y envejecimiento, y la orientación de la producción hacia el segmento internacional de los vinos de calidad. Mediante la valorización adecuada del producto se ha conseguido hacer frente a los costes de producción.

Los resultados de esta coyuntura son la generación de nuevas rentas, que comienzan a frenar el dramático proceso de despoblamiento que ha sufrido la zona. La reinversión de los rendimientos permite un incremento progresivo de la capacidad de generar riqueza. La rehabilitación de antigua bodegas, casas en desuso y nuevas edificaciones mejora el entorno urbano y potencia el desarrollo de otros sectores económicos.

La modificación del paisaje con las nuevas y necesarias plantaciones que aumentan la riqueza tiene que permitir, al mismo tiempo, el mantenimiento de un entorno natural privilegiado. Las características orográficas y geológicas del Priorat posibilitan, más que grandes explotaciones, la elaboración de vinos profundamente vinculados a un entorno físico concreto y a un cuidado trabajo personal, lo que se ha llamado "vinos de pueblo o vinos de finca".

Alrededor del vino se levanta toda una cultura que atrae el interés de los visitantes e impulsa otras actividades económicas. El progreso de los territorios de la Denominación de Origen Calificada tiene que ser compatible, pues, con la preservación del patrimonio natural e histórico, todo ello encaminado a conseguir un verdadero desarrollo sostenible.

Bibliografía

ANDREU, Jordi. "Creixement demogràfic i transformacions econòmiques al Priorat (segles XVI-XIX)". En *Penell*, núm. 3, Reus, 1989.

ANGUERA, Pere; ARAGONÈS, Manuel. *El Priorat de la Cartoixa d'Escaladei*. Santes Creus, 1985.

CIURANA, Jaume. *Els vins de Catalunya*. Barcelona: Generalitat de Catalunya, 1980.

Figueras, Anna; Calvo, Joaquim. *El Priorat, la vinya i el vi*. Reus: Carrutxa, 1996.

GORT, Ezequiel. *Història de la Cartoixa d'Escaladei*. Reus: Fundació Roger de Belfort, 1998.

Juncosa, Isabel. *Tractat d'agricultura. Manuscrit anònim de Porrera. Segle XVIII*, Reus, 1998.

Si en algún lugar las piedras tienen alma, probablemente sea en el Montsant, en la montaña santa.
Página anterior, la Serra Major del Montsant.

If there is one place where the stones have a soul, this would be on the Montsant, the holy mountain.
Previous page: *the Serra Major del Montsant.*

El Montsant es el resultado del arrastre de materiales por un río prehistórico y depositados en el antiguo mar que cubría este país. Los hombres confirieron alma al roquedo a cambio de refugio para el espíritu.

The Montsant is the product of the materials brought down by a prehistoric river and deposited in the ancient sea that formerly covered the land. Man endowed the rock with soul in exchange for a refuge for the spirit.

Los silencios de la montaña, sus horizontes, sus riscos, conectan profundamente
con los anhelos íntimos de paz interior de los humanos que se acercan a ella.

*The silence of the mountain, its horizons and its cliffs connect with the deep yearnings
for inner peace of the people who approach it.*

En el siglo XIII llegaron al pie del Montsant los monjes que levantarían la primera cartuja de la Península.
Arriba, fachada principal de Scala Dei. *En las páginas siguientes,* la Conreria de Scala Dei y la Serra Major.

In the XIII century the monks who would build the Peninsula's first Carthusian monastery reached the foot of the Montsant.
Top: *the main façade of Scala Dei.* Following pages: *the Scala Dei hospice and the Serra Major.*

Los cartujos buscaban un lugar desde donde hablar con Dios, escaleras para llegar al cielo.
Además, con ellos llegó el impulso para fundar *masos*, pueblos y domesticar la embravecida orografía de colinas pizarrosas.

The Carthusians sought a place where they could communicate with God and ladders to climb up to heaven.
Furthermore, they came with the firm intention of building manor farmhouses, founding villages and domesticating the rugged, hostile relief of the slate hillsides.

El Montsant y las ruinas de Scala Dei se han convertido en símbolos de este territorio.
Es imposible entender esta tierra sin la presencia de la montaña y el legado de los cartujos.

The Montsant and the ruins of Scala Dei have become symbols of this land.
Indeed, it is impossible to understand the region without the presence of the mountain and the legacy of the Carthusians.

En otoño llega la algarabía de colores. Sin otra moda que la tradición,
las colinas entre las que se desliza el río Siurana se visten de gala.

The autumn is a blaze of different colours. In accordance with no fashion other than tradition,
the hillsides through which the Siurana flows choose their party clothes.

Las viñas llenan las laderas de licorella con rojos y amarillos descarados, colores saturados
por las luces todavía cálidas de los días otoñales.

_The vines over the llicorella slopes with glowing reds and yellows,
colours saturated by the still warm light of autumn days._

Todas las variedades escogen tonos y colores; sin duda las más presumidas son la garnacha y la cariñena.

El *mas* de Sant Antoni, recuerdo del antiguo pueblo de Montalt situado sobre Scala Dei.

All grape varieties choose their own tones and colours, although the most presumptuous are undoubtedly Garnatxa and Carinyena.

Mas de Sant Antoni, a remnant of the village of Montalt that formerly stood over Scala Dei.

Viñas de ladera, Torroja. Liberadas de la responsabilidad de la uva, las viñas se relajan coloreadas.
Arriba, laderas de Torroja. *En las páginas siguientes*, el invierno llega a las laderas de licorella.

Hillside vineyards, Torroja. Freed from the responsibility of producing grapes, the autumn-coloured vines relax.
Above: *slopes in Torroja.* Following pages: *winter comes to the* llicorella *slopes.*

Con los días cortos, las vides se desnudan para dormir el invierno. Pero el trabajo de los payeses continúa.
Arriba, trabajo en una cuesta frente a Vilella Baixa.

As the days become shorter, the vines shed their leaves to sleep through the winter. The work of the winegrowers continues, however.
Top: working on a slope opposite La Vilella Baixa.

Ahora que la viña se deja trabajar, es el momento para podar, injertar y preparar la siguiente cosecha.

Now that the vines permit, the time has come to prune, graft and prepare for the next harvest.

Es el momento para plantar viña nueva, aunque bajo el frío invernal las plantas nuevas puedan parecer más frágiles.
Nuevas plantaciones cerca de Poboleda.

It is the time for planting new vines, although in the winter cold the plantlets seem more fragile than they are.
New plantations near Poboleda.

En invierno, la licorella hace de espejo para reflejar el suave sol y calentar un poco el paisaje.
Ladera en Morera de Montsant.

In winter, the llicorella *acts as a mirror that reflects the pale sunlight and warms the landscape a little.*
Slope at La Morera de Montsant.

La viña se detiene, se duerme hasta parecer casi muerta, bajo la luz de enero.
Entre las colinas del decorado de fondo se recorta la silueta de Torroja.

The vineyard comes to a standstill, in a death-like coma beneath the January sun.
Among the hills in the background we glimpse the outline of Torroja.

Viñedos de los alrededores de Poboleda. *Al lado*, la cartuja de Scala Dei bajo la nieve.

Vineyards around Poboleda. Side: the snow-covered monastery of Scala Dei.

Cada invierno la nieve realiza alguna visita al Priorat. Suavemente, cubre las viñas para endulzar los sueños con paisajes de postal. Entonces, la Serra Major adquiere una imagen septentrional, fantástica, casi épica.

Each winter snow pays the Priorat a visit. It gently covers the vineyards, inducing sweet dreams with postcard landscapes.
At this time of year the Serra Major takes on a fantastic, almost epic northern appearance.

A finales de invierno, los impacientes almendros comienzan a florecer irreflexivamente, olvidando que pueden volver las heladas.
Pero su inconsciencia regala paisajes irreales.

Late in winter the impatient almond trees begin recklessly to bloom, as if oblivious to the fact that the frosts might return.
Even so, thanks to their rashness we are regaled with fabulous landscapes.

Con la llegada de la primavera, las vides comienzan a mezclar verde con las oscuridades oxidadas de la licorella.
En poco tiempo las hojas jóvenes renovarán completamente el paisaje.

When spring comes, the green of the vines begins to combine with the dark rust colour of slate.
Soon the young leaves will have completely renewed the landscape.

El campanario de Lloar asoma la cabeza detrás de las terrazas de nuevas plantaciones.

The El Lloar belfry rises up behind the terraces of new plantations.

Enfrente de Torroja, en la otra orilla del Siurana, comienza el camino que, vuelta tras vuelta,
cuesta tras cuesta, sube hasta el collado de Scala Dei.

*Opposite Torroja, on the other side of the Siurana, the path begins tat twisting and turning
climbs the slopes up to the Coll d'Scala Dei.*

Es el momento de la poda en verde, de la espergura y corregir el exagerado optimismo de las viñas.
Bajo Bellmunt, junto al río Siurana, nuevos viñedos rodean el antiguo edificio de los cartujos.

It is time to prune the new green shoots to hold back the excessive optimism of the vines.
Beneath Bellmunt, beside the river Siurana, new vineyards surround the old building of the Carthusians.

Entre Scala Dei y Morera de Montsant, las viñas crecen bajo el resguardo de los elegantes
e impresionantes riscales del Racó de Missa de la Serra Major.

*Between Scala Dei and La Morera de Montsant, the vines grow watched over
by the elegantly imposing cliffs of El Racó de Missa in the Serra Major.*

De vez en cuando, una vid de moscatel entre las otras asegura la excusa para un pequeño descanso cuando llega la vendimia. *Arriba*, viñas de la Serra Alta.

The occasional muscatel vine grows among the other varieties, providing the excuse for a short break during the harvest.
Above: vineyards in the Serra Alta.

Al pie del Montsant, la antigua masía cartuja del Tancat continúa en activo.

At the foot of the Montsant, the old Carthusian manor farmhouse of El Tancat still serves its purpose.

La ermita de Sant Antoni de Porrera sobre las olas de licorella.
A la derecha, el sol de la tarde se filtra entre las nubes de tormenta para iluminar viñas, cuestas y cipreses detrás de Bellmunt.

The hermitage of Sant Antoni de Porrera over the waves of llicorella.
Right: *The setting sun peeps through storm clouds to illuminate vines, slopes and cypresses behind Bellmunt.*

Tradicionalmente, el Priorat ha sido tierra de eremitas y ermitaños. La ermita de la Consolació, en Gratallops.

Traditionally, the Priorat was a land of hermitages and hermits. The hermitage of La Consolació, in Gratallops.

La del Priorat es una tierra reseca, donde incluso los ríos tienden a quedarse sin agua.

A la izquierda, Vilella Baixa con su puente sobre el río Montsant. *A la derecha*, el puente de Poboleda sobre las aguas del Siurana.

The lands of the Priorat are so barren that even the rivers tend to dry up.

Left: *La Vilella Baixa with its bridge over the river Montsant.* Right: *the Poboleda bridge over the waters of the Siurana.*

Las calles empedradas y las grandes mansiones de Torroja fácilmente evocan los buenos tiempos del Priorat
de finales del siglo XIX, antes de la llegada de la terrible filoxera.

*The stone-paved streets and big mansions of Torroja evoke the prosperous days of the Priorat
in the late XIX century, before the terrible phylloxera plague broke out.*

El despoblamiento ha sido el flagelo del Priorat desde la plaga de la filoxera.
El *boom* del vino comienza a frenar la emigración entre algunos jóvenes.

Depopulation has been the scourge of the Priorat since the outbreak of phylloxera.
With the wine boom, some young people have decided not to leave the area.

Las casas del Priorat están llenas de testimonios del pasado vinícola. *Arriba*, museo particular en Torroja.
A la izquierda, las cuentas de antiguas vendimias escritas en el sótano de Cal Marimon, en Torroja.

The houses of the Priorat are crammed with evidence of the wine-growing past. Top: Joan Pàmies's private museum in Torroja.
Left: old harvest accounts scrawled in the basement of al Marimon, in Torroja.

El resurgimiento vinícola ha dado un nuevo impulso a los pueblos del Priorat.
En Vilella Alta, las calles vuelven a revivir con los juegos de la chiquillada.

The resurgence of wine growing as given a new impulse to the towns and villages of the Priorat.
In La Vilella Alta, young children once again play in the streets.

Bellmunt, pueblo de fuerte tradición minera, ha visto cómo en pocos años se instalaban media docena de nuevas bodegas.

Bellmunt, with its strong mining tradition, has witnessed the opening of half a dozen new wineries in the space of a few years.

El pueblo de Vilella Alta se recorta sobre el inmenso decorado pétreo del Montsant.
En el Priorat, la síntesis del paisaje natural y el paisaje humanizado conforman escenografías bellísimas.

The village of La Vilella Alta stands out against the huge stone backdrop of the Montsant.
In the Priorat, the synthesis between the natural landscape and human intervention configures extraordinary settings.

La cerradura y el escudo de la Casa de los Frailes de Gratallops son buenos ejemplos del dominio de Scala Dei,
todavía visible por todas partes. *En las páginas siguientes*, Vilella Baixa y Poboleda.

*The keyhole and escutcheon of the Casa dels Frares in Gratallops are clear examples of the former hegemony
of Scala Dei, still visible everywhere. Following pages: La Vilella Baixa and Poboleda.*

El campanario de Porrera se alza al fondo, detrás de las laderas de la ermita de Sant Antoni.

The Porrera belfry rises up in the background, behind the slopes of the hermitage of Sant Antoni.

Las casas de Torroja del Priorat se aferran apretadas sobre la colina donde fueron levantadas. El pueblo parece emerger de las rocas.

The houses of Torroja del Priorat huddle together on the hill on which they were built. The village seems to emerge from the rocks.

Calles empinadas con historia y casas que recuerdan el esplendoroso pasado agrícola. *Arriba*, Gratallops.
A la derecha, Porrera. *En las páginas siguientes*, calles de Vilella Alta y de Morera.

_____

Steeply sloping streets with their own history and houses that recall the splendid agricultural past.
Top: *Gratallops*. Right: *Porrera*. Following pages: *streets in La Vilella Alta and La Morera*.

Los pueblos del Priorat tienen "una solidez secular, una costra petrificada, un redondeo geométrico, una apariencia de cuadro de exposición", escribía Joan Santamaria. *Arriba*, Vilella Baixa. *A la derecha*, Torroja.

The houses of the Priorat display "a secular solidity, a petrified crust, rounded geometry and the appearance of pictures at an exhibition", in the words of Joan Santamaria. Top: *La Vilella Baixa.* Right: *Torroja.*

Mas dels Frares, cerca del Molar, otra de las antiguas posesiones de Scala Dei que continúa vinculada a la producción vinícola.

The Mas dels Frares, near El Molar, is another of the former Scala Dei possessions still linked to winegrowing.

La Conreria de Scala Dei ha crecido a partir de los edificios administrativos de la antigua cartuja, desde donde se administraban las propiedades del cenobio sin perturbar la paz monástica.

The Conreria (hospice) of Scala Dei developed from the administrative buildings of the former monastery, where the monks' estates were managed without disturbing the monastic peace.

El pueblo de Morera de Montsant, de origen musulmán, fue levantado al pie del Montsant.

The village of La Morera de Montsant, of Moorish origin, was built at the very foot of the Montsant.

Bajo los riscos de la sierra de Llangossets se encuentra el pueblo de Lloar, en uno de los extremos del territorio de la D.O.C. Priorat.

Beneath the ridges of the Serra de Llangossets stands the village of El Lloar, just inside the territorial limits of the D.O.Q. Priorat.

Las aguas del río Montsant pasan rozando las laderas de Lloar. La visión del valle y de los viñedos es magnífica.

The waters of the river Montsant touch the slopes of El Lloar as they flow past the village. The view of the valley is truly magnificent.

Cuna de los "nuevos Priorats", Gratallops ejerce una cierta capitalidad dentro del territorio de la D.O.C.
Durante el cambio de siglo ha pasado de una bodega a tener una quincena. Al fondo, las montañas del Port.

The cradle of the 'new Priorats', Gratallops enjoys a certain status as capital of the D.O.Q. Since the end of last
century, the number of its wineries has risen from one to about fifteen. In the background, the mountains of El Port.

A la izquierda, el pueblo de Porrera. *Arriba y en las páginas siguientes*, la Fiesta de la Vendimia de Poboleda,
que cada septiembre ocupa las principales calles de la localidad.

Left: *the village of Porrera*. Top and following pages: *harvest festival in Poboleda,*
which each September occupies the main streets of the village.

En septiembre y octubre llega la ahora de la verdad. Todos las miradas están pendientes de la viña,
sobre la uva, esperando que el grado de maduración sea el óptimo para iniciar la vendimia.

*The hour of truth comes in September and October. All eyes are fixed on the vineyards,
on the grapes, in the hope that they are perfectly ripe for the harvest to begin.*

La cosecha comienza. En la actualidad es habitual volver a encontrar manos jóvenes
de gente de la comarca a las que el renacimiento vinícola ha convencido para volver a trabajar la tierra.

*The harvest begins. Today it is common to find young people from the comarca
working the land, lured by the resurgence of wine growing.*

Cerca de Morera, la uva madura bajo la inmanente presencia del Montsant.

The grapes ripen near La Morera, beneath the immanent presence of the Montsant.

Esta es una tierra de pendientes imposibles, donde los asnos y las burras han sido el mejor amigo del payés y donde la vendimia siempre ha tenido gusto de fiesta.

This is a land of impossible gradients in which donkeys and asses are the farmer's best friend and in which the grape harvest has invariably had a festival air.

Aquí los tractores son pequeños y las manos vendimiadoras expertas, ya sean profesionales o las de la familia que recogen
la uva de la propia finca, con la que después se elaborarán vinos que darán la vuelta al mundo.

_Here the tractors are small and the hands of harvesters expert, either those of professionals or of families
who harvest their own grapes to make wines that will subsequently be marketed all over the world._

El renacimiento vinícola parece garantizar el relevo generacional. Mientras el abuelo vendimia en una finca alta de Porrera, al lado su nieto rompe avellanas rodeado de años de esfuerzo y tradición.

The resurgence of the wine industry seems to guarantee that new generations will take over from their predecessors. While a grandfather harvests a highland estate in Porrera, at his side his grandson breaks hazelnuts open, surrounded by years of effort and tradition.

A pesar de la modernización tecnológica que ha tenido lugar, la vendimia continúa siendo en el Priorat
una actividad de un marcado carácter tradicional

Despite the advent of technological innovations, in the Priorat the grape harvest
continues to be a markedly traditional activity.

La exagerada pendiente de muchas de las viejas y valoradas laderas, hace que la vendimia continúe siendo una trabajo pesado, como en ésta de las Obagues de Bellmunt.

Due to the steep gradients of many of the old, highly valued slopes, the grape harvest continues to be a laborious task, as here in Les Obagues de Bellmunt.

Vendimia familiar en una finca de Gratallops, con el pueblo de Lloar al fondo.

A family harvesting grapes on their estate in Gratallops, with the village of El Lloar in the background.

Los edificios de la antigua mina Regia recuerdan el importante pasado minero de Bellmunt.
Como en los demás pueblos, el presente tiene gusto de uva y de vino.

*The buildings of the former Regia mine recall the major mining tradition of Bellmunt.
As in the other neighbouring villages, the present tastes of grapes and wine.*

Recolectando uva en los muros de piedra. Ya sea negro o blanco,
la uva acabará transmitiendo al vino los gustos minerales de esta tierra de licorella.

Harvesting the grapes at the stone walls. Whether red or white, the grapes
will infuse the wine with the mineral flavours of the llicorella *earth.*

Enólogos controlando la llegada de la uva en Bellmunt. *A la izquierda*, vendimia en el *mas* Alsera de Torroja.

Oenologists checking the grapes as they reach Bellmunt. Left: *the grape harvest at Mas Alsera in Torroja.*

Entrada de uva en una bodega de Porrera. Cada nueva temporada es un nuevo y emocionante acontecimiento.

The grapes arrive at a Porrera winery. Each season is a new, thrilling event.

Selección de la uva. *En las páginas siguientes*, rampojo de uva, sala de lagares, hundimiento manual del sombrero y detalle de la pasta que resulta del prensado.

Grape selection. Following pages: vine stalks, the cask cellar, manual remontage *of the wine and the pulp that remains after pressing.*

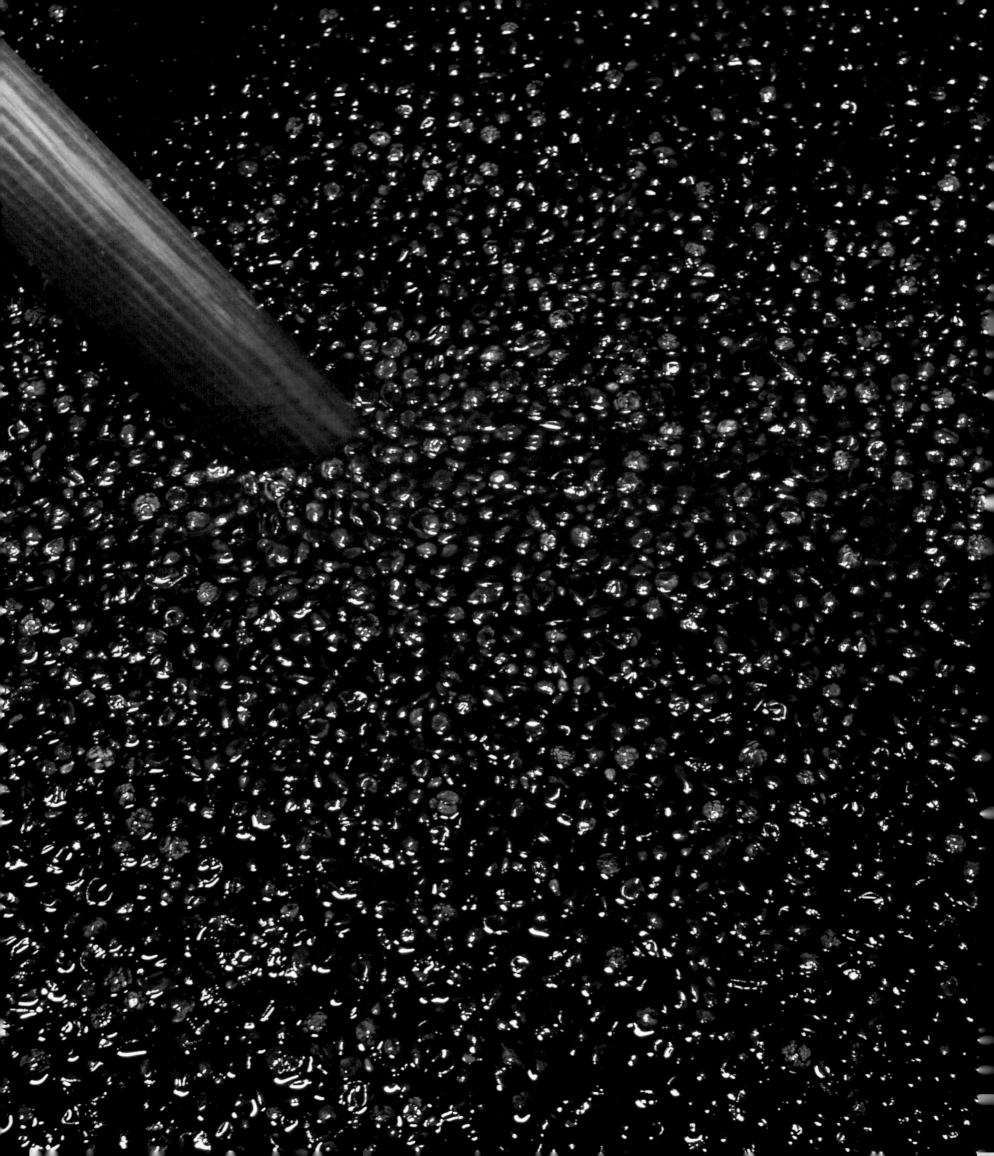

Final del prensado. *A la derecha*, una bodega de Vilella Baixa instalada en los bajos de un edificio,
un buen ejemplo de las pequeñas y reputadas bodegas que ha visto surgir el Priorat durante el tramo final del siglo.

The end of the pressing process. Right: *a winery in La Vilella Baixa in the basement of a building,*
a good example of the small, though reputed wineries that emerged in the Priorat at the end of last century.

Actualmente, en la D.O.C. Priorat conviven espacios de tradición vitivinícola centenaria
con modernas bodegas de nueva construcción.

*In the D.O.Q. Priorat wineries of centennial tradition currently stand side-by-side
with their brand new contemporary counterparts.*

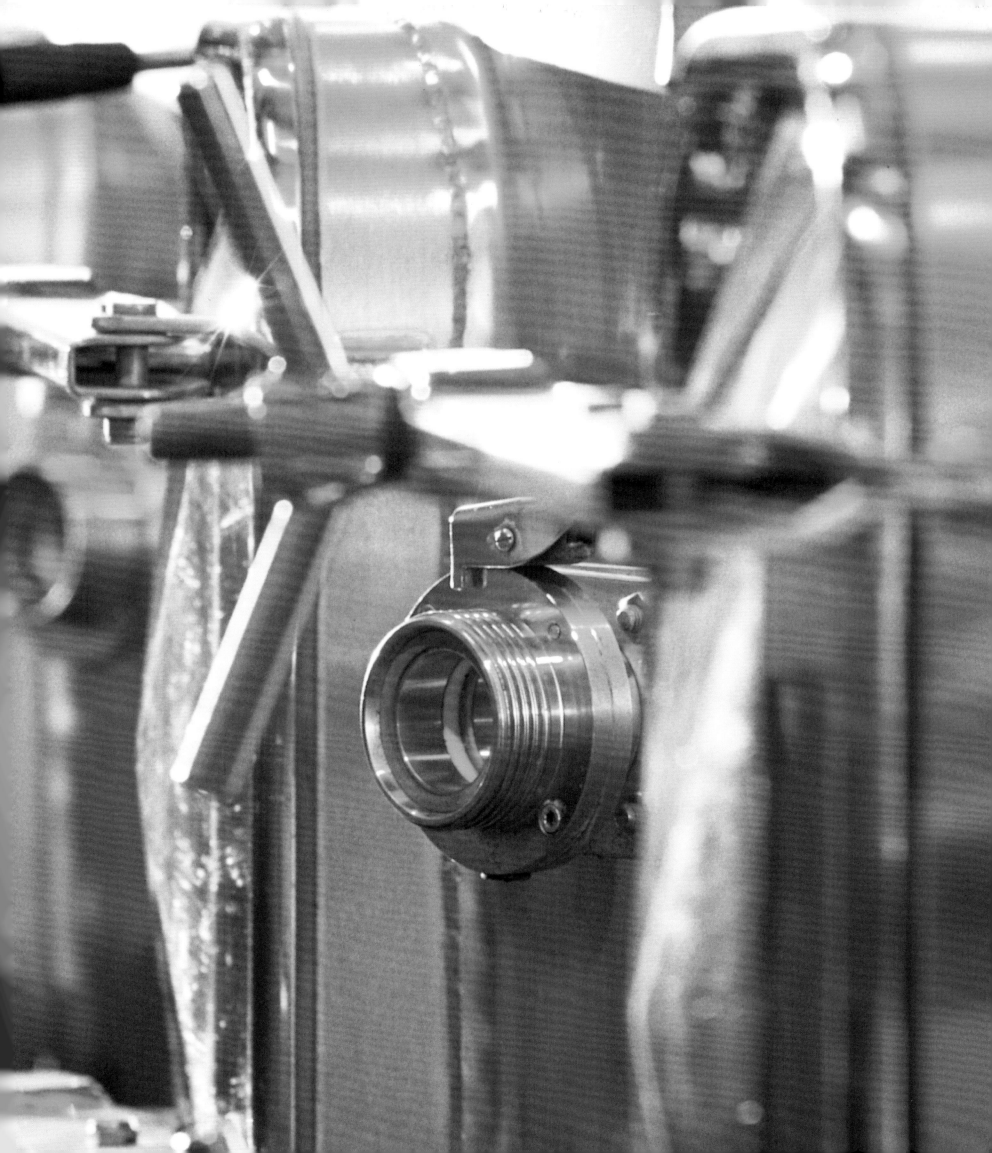

En algunas antiguas bodegas, los viejos lagares donde se elaboraba el vino han sido adaptados para servir de sala de toneles y botellas.
A la derecha y en la página siguiente, momentos del proceso de clarificación.

In some of the older wineries, former presses have been adapted to accommodate casks and bottles.
Right and following page: *moments in the clarification process.*

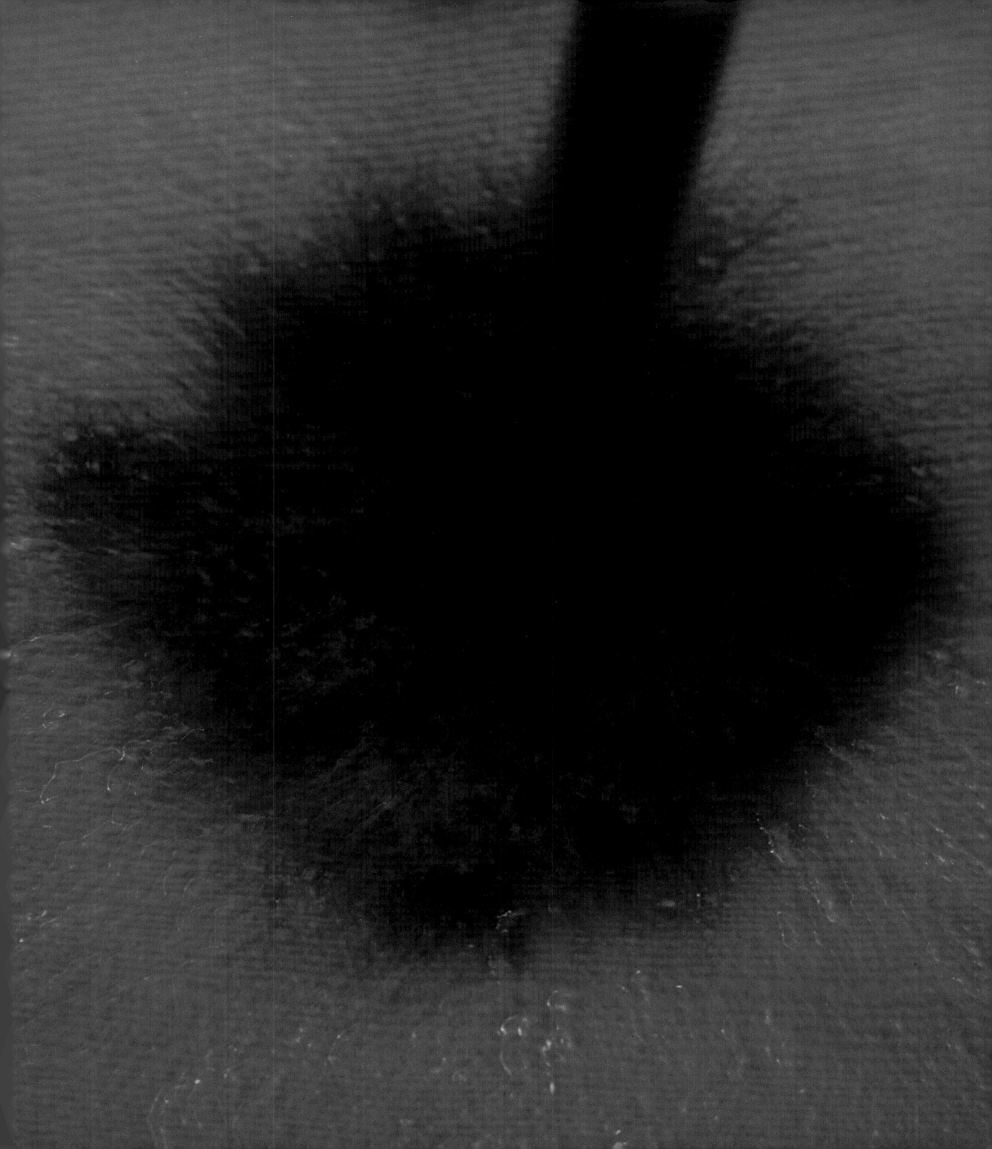

Los enólogos catan y controlan cuidadosamente la evolución del vino dentro de los toneles. El vino está vivo y es preciso vigilarlo de cerca.

Oenologists taste and meticulously supervise the wine as it matures in the casks. Wine is a living organism and must be closely monitored.

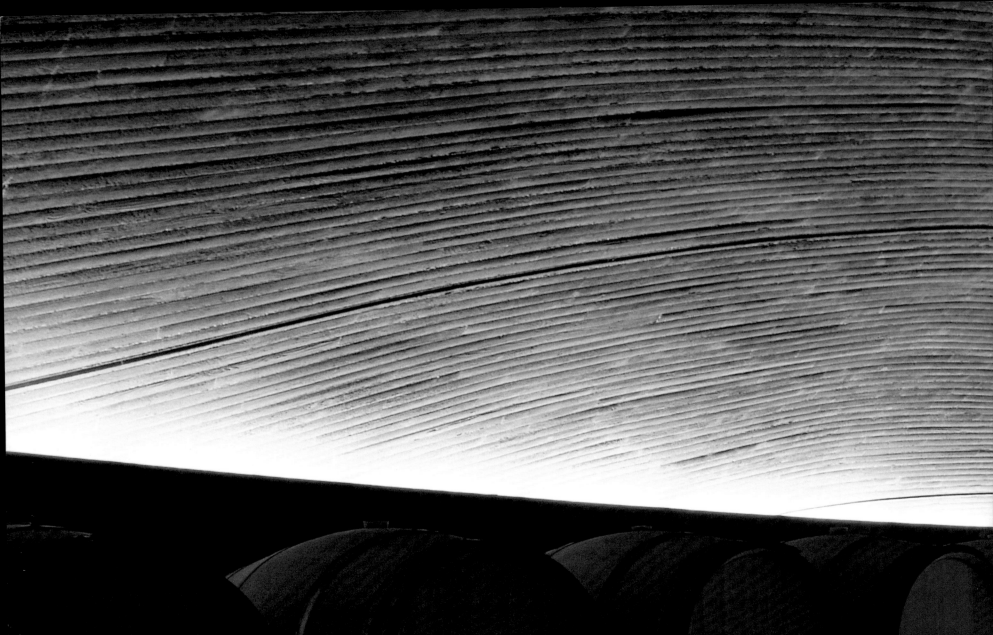

Las aromas de vino y roble impregnan el aire de las silenciosas salas de envejecimiento. Son las "criptas" de las bodegas.

The aromas of wine and oak impregnate the air in the silent ageing cellars. These are the "crypts" of wineries.

Arriba a la derecha, una pequeña bodega de la Conreria de Scala Dei que ya había acogido el vino de los cartujos, se guarda en silencio deliciosos rancios y otros tesoros. Es el Celleret dels Àngels.

Top and right: in a small cellar of the Conreria d'Scala Dei, which had formerly accommodated the wine of the Carthusians, delicious rancis and other treasures are kept in silence. This is the "Celleret dels Àngels".

En las páginas siguientes, la penumbra de las viejas buhardillas del Priorat puede esconder rancios impagables.
Al mismo tiempo, la luz y los horizontes más cautivadores acompañan el sabor de algunos de los grandes vinos del mundo.

*Following pages: the penumbra of old Priorat lofts may conceal invaluable vi ranci. At the same time,
some of the great wines of the world are tasted against a backdrop of captivating light and horizons.*

El reconocimiento internacional de la calidad de los "nuevos Priorats" ha sido extraordinario.
En la actualidad, prácticamente toda la producción se comercializa embotellada.

International acknowledgement of the quality of the 'new Priorats' has been extraordinary.
Today, practically all Priorat wines are marketed in bottles.

El monasterio de la cartuja de Scala Dei acoge regularmente una cata donde
los propios productores valoran y analizan los vinos que se producen en la D.O.C. Priorat.

*The Carthusian monastery of Scala Dei regularly organises wine-tasting sessions during which
the winegrowers themselves evaluate the quality of the wines produced in the D.O.Q. Priorat.*

Cata de vinos en una bodega de Gratallops el día que recibía la visita de un grupo de periodistas extranjeros.
Es el lenguaje internacional del vino.

A visiting group of foreign journalists enjoying a tasting session at a Gratallops winery.
This is the international language of wine.

Este remoto lugar, esta tierra tan difícil y austera como cautivadora, está consolidándose como una de las grandes zonas de vinos clásicos del mundo. La vida y el futuro han vuelto a un territorio anímica y visceralmente unido al vino.

This land, as austere as it is captivating, is becoming consolidated as one of the world's greatest wine producing areas. Life and future expectations have returned to a region spiritually and viscerally linked to wine.

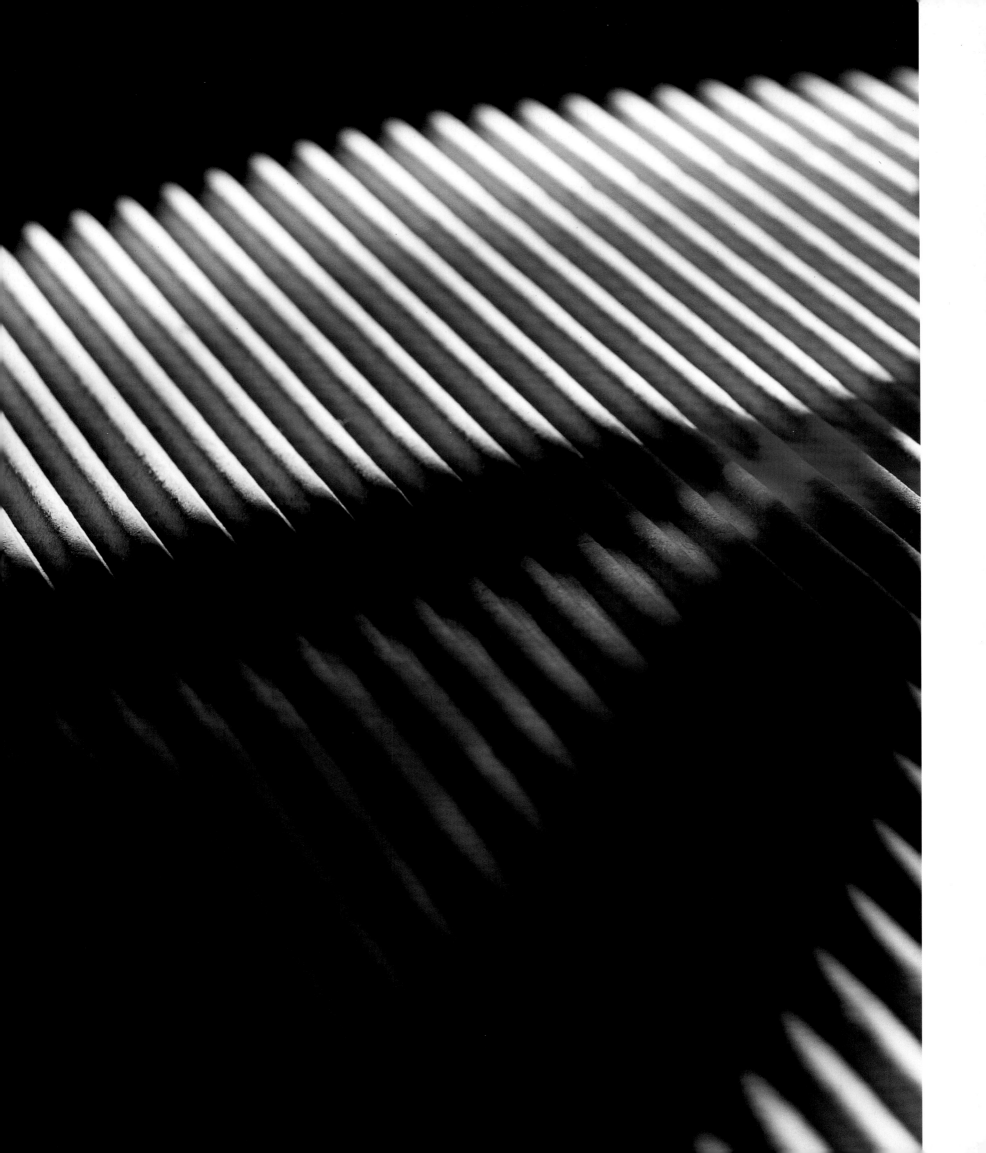

XOÁN ELORDUY VIDAL

La Tierra, la vid, la bodega

Jefe de Sección de la Estación de Viticultura y Enología de Reus
Instituto Catalán de la Viña y el Vino

De los muchos enfoques que se podían dar a este artículo, se ha escogido uno basado en la evolución temporal de una serie de parámetros –hectáreas, variedades, bodegas, etc.– que reflejan bastante bien la evolución realizada por la D.O.C. Priorat en los últimos años. No se hablará, pues, de los vinos y sus virtudes, que son muchas, ni de las diferentes personalidades que presentan, puesto que hacerlo no solamente sería muy atrevido sino que además precisaría mucho más espacio que unas pocas páginas.

Es una opinión generalizada que las virtudes y cualidades de los vinos de la D.O.C. Priorat tienen que descubrirse personalmente, degustando los vinos pero también viajando por los pueblos y paisajes que forman esta Denominación de Origen, visitando las bodegas y hablando con su gente; con seguridad que haciéndolo de esta manera los vinos de la D.O.C. pasarán a formar parte de nuestros productos preferidos.

La Tierra

"Las vides, para hacer buen vino, las plantareis en una tierra que sea poco seca y poco fría, que en la tierra fría no maduran las uvas y si es caliente suelen madurar demasiado pronto". *Tractat d'Agricultura*, manuscrito anónimo de Porrera, siglo XVIII. Isabel Juncosa Ginestà.

Desde el punto de vista agronómico, los suelos del la D.O.C. Priorat son pedregosos y arenosos, poco fértiles y pobres en materia orgánica; el carácter metamórfico de los elementos gruesos facilita el rompimiento de las pizarras en la dirección de las capas de estratificación y, en consecuencia, se forman piedras de licorella aplanadas que cubren la superficie del suelo. En las pendientes de las colinas, estas pizarras aplanadas contribuyen a disminuir la magnitud de los fenómenos de erosión que se provocarían por la inclinación de las laderas.

En un suelo agrícola se distinguen tres horizontes: un primer estrato (Ap) que corresponde a la capa resultante de los trabajos agrícolas y la acción humana, un segundo estrato B (materiales compactos no sometidos a la acción agrícola) y un tercer horizonte C correspondiente a la roca madre, alterada o no.

En una ladera, donde la erosión es considerable y difícil la deposición o acumulación, los suelos son poco profundos y el horizonte B está prácticamente ausente. Por el contrario, en los valles y en las llanuras la deposición y sedimentación de los materiales configuran suelos más profundos. En el Priorat, los suelos de licorella son suelos jóvenes, poco maduros, con pocos horizontes. Se conocen como litosuelos (litos, "piedra").

Por ejemplo, E. Cobertera presenta en su libro *Los suelos cultivados de la Provincia de Tarragona* los resultados de dos muestras representativas de terrenos de licorella.

Horizonte Ap	Porrera	Poboleda
Relieve	Montañoso	Montañoso
Pendiente	Pronunciada	Pronunciada
Altitud sobre el nivel del mar	450 m	500 m
Perfil	ApC	ApC
Roca madre	Pizarras	Pizarras
Grupo edáfico	Regosol-tierra parda	Regosol-tierra parda
Elementos gruesos	36 %	32 %
Textura	Arcillo-limosa	Arcillo-limosa
Estructura	Granular	Granular
Carbonatos en CO_3Ca	1,7 %	1,7 %
PH	7,8	7,6
Materia orgánica	1,5 %	1,7 %
Fósforo activo en P.	0,1 ppm	0,1 ppm

Como se puede comprobar, las características de los suelos predominantes en la D.O.C. Priorat son bastante uniformes, las variaciones son en el contenido de materia orgánica en función de la topografía, con mayor riqueza de materia orgánica en el tercio superior de las vertientes e inferior en la parte restante, con la excepción del pie de ladera donde se puede dar una cierta acumulación.

Según los trabajos de Montserrat Nadal, publicados con el título de *Els vins del Priorat*, dentro del ámbito territorial al que pertenece la Denominación de Origen Calificada Priorat, se pueden definir dos grupos de terrenos geológicos: los suelos de licorella y los suelos graníticos. Sin duda, el grupo principal está definido por la licorella; esta área incluye las localidades de Vilella Baixa, Vilella Alta, Gratallops, Lloà, Torroja, Porrera y Poboleda. Son terrenos desarrollados sobre esquistos paleozoicos del carbonífero, que cubren las montañas suaves y redondas que definen el paisaje de los pueblos y términos municipales mencionados. Los estratos pizarrosos descompuestos alternan con otros materiales silíceos, en ocasiones con presencia de cementos calcáreos.

Existen también otro tipo de suelos, sin duda menos representativos, pero que contribuyen a dar complejidad a la D.O.C. Priorat. Son los suelos graníticos, formados por un material muy descompuesto procedente del granito de la época precámbrica. Se encuentran algunos de estos terrenos en Bellmunt y en dirección a Gratallops. Existen otros tipos de terrenos y materiales pero en proporciones muy inferiores.

Continuando con Montserrat Nadal y su libro sobre *Los vinos del Priorat*, se puede afirmar que el suelo de licorrella es característico de las laderas y pendientes abancaladas. Este tipo de suelo está constituido por una mezcla de elementos resultado de la descomposición de la roca madre, que tiene su origen en las pizarras del carbonífero. Los tipos de pizarras más abundantes en superficie son fragmentos de laterales más o menos angulosos, gravas aplanadas de diferente grosor. En profundidad se filtran partículas de menor diámetro: limos de grano más o menos grueso según la intensidad de los procesos meteóricos, y las arcillas, que provienen de la total descomposición de esta pizarra metamórfica.

El suelo de pie de montaña se encuentra cerca de de los abarrancamientos, y está formado por los materiales acumulados junto a los ríos; estos suelos son de carácter pedregoso, constituidos por materiales sedimentarios procedentes de las zonas más altas de las cordilleras, frecuentemente mezclados con guijarros y piedras de pizarra que han sido arrastrados y acumulados en la terrazas fluviales. Por lo tanto, a diferencia de las situaciones de los suelos de licorella, se pueden encontrar arcillas y limos carbonatados.

La evolución que ha tenido la plantación de hectáreas de viña a lo largo de los últimos años queda reflejada en el cuadro 1. Todavía se está lejos de la máxima extensión histórica de la viña, pero a lo largo de los últimos años el crecimiento ha sido muy rápido, tanto que en la actualidad el Consejo Regulador de la D.O.C. Priorat y los Ayuntamientos han puesto en marcha un importante programa de protección y sostenibilidad del paisaje y el medio ambiente, con el fin de conseguir que las diferentes actuaciones de todo el sector sean respetuosas con el carácter y el paisaje tradicional; movimientos de tierras limitados, márgenes de piedra, trazado de caminos y edificaciones no agresivas con el medio, etc.

Esta actuación, que pretende introducir criterios de racionalidad, será consensuada con todos los ayuntamientos de la D.O.C., puesto que es en el ámbito municipal donde se encuentran los mecanismos para su aplicación.

CUADRO 1. *Superficie de viña amparada en la D.O.C.*

Año	Hectáreas	Δ anual
1998	878	–
1999	890	1,4
2000	942,27	5,9
2001	1.229,85	30,5
2002	1.430,82	16,3
2003	1.591,08	11,2

Fuente: Consejo Regulador D.O.C. Priorat. Elaboración propia.

Las Vides

"Y algunas vides que hacen el mejor vino como las garnachas y otras no producen como en la tierra templada de especies de árbol de tantas calidades, no está presente en mi pueblo y en todo el Priorat de Scala Dei, he conocido 56 especies,..." *Tractat d'Agricultura*, manuscrito anónimo de Porrera, siglo XVIII. Isabel Juncosa Ginestà.

Las variedades que tienen más importancia dentro de la D.O.C. son las que se describen a continuación.

GARNACHA NEGRA

Planta muy vigorosa de porte erguido, de fertilidad elevada, maduración tardía y de producción entre media y alta, que se ve reducida con la edad de la vid aunque incrementando al mismo tiempo la calidad de su uva. Las vides son bastante resistentes a la sequía, adaptándose muy bien a diferentes tipos de suelos. Acepta diferentes clases de poda. Sensible al mildiu y al *Botrytis*, resulta también sensible al corrimiento de la uva. Esta variedad produce vinos de alta graduación, color granate, aromas ligeros con tonos de fruta roja madura y acidez entre mediana y alta. Esta uva de garnacha negra, en particular la procedente de viñas viejas, es una de las responsables de la personalidad compleja de los vinos de la D.O.C. Priorat.

SAMSÓ (CARIÑENA)

Es una variedad muy productiva, de vegetación erecta, con una época de maduración entre mediana y tardía por lo cual se aconseja su plantación en zonas de producción tardía, muy resistentes a la sequía, resulta una vid muy bien adaptada a los terrenos pobres; variedad muy sensible al oídio y poco al *Botrytis* y a la excoriosis.

De esta variedad se obtienen vinos con bastante color y taninos astringentes, en ocasiones herbáceos y amargos; en la D.O.C. Priorat las viñas de *samsó* adultas situadas en laderas producen vinos de alta calidad con aromas afrutadas y taninos suaves, por su limitada producción.

CABERNET SAUVIGNON

Variedad originaria de la región de Burdeos, es vigorosa, de maduración entre mediana y tardía, con muchas ramificaciones, admitiendo podas largas o cortas evitando siempre hacer heridas en la madera. Muy sensible al oídio, eutipiosis y yesca, presenta una sensibilidad media al *Botrytis*. Los mejores resultados se dan en viñas plantadas sobre terrenos pedregosos, con poca agua, ácidos y bien expuestos. Los vinos obtenidos son equilibrados, aromáticos y muy estables, por lo cual son muy aptos para los procesos de envejecimiento. Los taninos son intensos y muy elegantes.

SYRAH

Sensible al viento debido a la emisión de sarmientos herbáceos largos y frágiles, debe podarse en corto y emparrada, muy sensible a la clorosis y mal adaptada a los suelos ácidos. El período de recolección es corto y se tiene que evitar el exceso de rendimiento y la maduración excesiva. Resulta una variedad sensible a los ácaros y al *Botrytis*, resistente al mildiu, al oídio y a la excoriosis.

Esta variedad produce vinos de buen grado alcohólico, dando colores intensos, aromáticos (violetas, cuero, regaliz), de buena estructura y taninos agradables, con buenas características para el envejecimiento. Quizás fuera interesante, en la perspectiva de una ampliación de la gama de productos dentro de la D.O.C., explorar la obtención de rosados monovarietales de syrah.

MERLOT

Vigorosidad entre media y alta con una fuerte tendencia a producir rebrotes; porte semierecto que hace necesario emparrar; esta especie de buena fertilidad requiere una poda corta. Resulta sensible a las heladas primaverales y a la sequía, también al mildiu y a los cicadélidos, no es sensible al oídio, la flavescencia dorada y las enfermedades de la madera.

De la variedad se obtiene un vino con cuerpo, rico en alcohol y color; relativamente poco ácido, con taninos suaves y aromas complejos y elegantes. Las viñas jóvenes de merlot tienen una buena adaptación a las condiciones de la D.O.C. Priorat.

GARNACHA BLANCA

Planta muy vigorosa de porte erecto, fertilidad alta, producción mediana y uvas entre pequeñas y medianas. Variedad muy resistente a la sequía, adaptada a los suelos pobres, admite podas cortas. Es resistente al oídio y poco sensible al mildiu y al *Botrytis*, resultando menos sensible a los corrimientos que la variedad negra.

Los vinos son alcohólicos, de color amarillo, aromáticos, acidez media-alta, con peligro de experimentar oxidaciones rápidas. Aunque la D.O.C. no produce muchos vinos blancos, algunas bodegas tienen dentro de sus productos vinos blancos en base a garnacha blanca de gran calidad. Sin duda, una de las variedades autóctonas que presenta más potencialidades enológicas.

MACABEO

Variedad productiva de porte erecto y fertilidad entre buena y media, debería evitarse su plantación en terrenos frescos y húmedos, así como sobre terrenos muy secos. Bastante sensible a los ácaros y al oídio; muy sensible al moho gris y a la necrosis bacteriana, en cambio es poco sensible al mildiu.

Esta variedad produce vinos ligeros, de aromas casi florales y gustos ligeramente astringentes con un correcto equilibrio entre acidez y alcohol.

PEDRO XIMÉNEZ

Variedad vigorosa y productiva de porte erecto, con racimos de uva poco uniformes. Muy sensible al *Botrytis* y al mildiu, sensible al oídio, esta variedad también es sensible a la eutipiosis y a las termitas.

Produce mostos de baja acidez y altas concentraciones de azúcar, muy adecuados para realizar procesos de crianza (vinos dulces naturales, etc.) conservando sus aromas y gustos particulares.

El total de las superficies de cada variedad (en hectáreas plantadas durante los últimos cinco años) ha evolucionado de la siguiente manera:

CUADRO 2.

	2004	2003	2002	2001	2000
Cabernet Sauvignon	180,50	186,62	154,28	120,84	71,64
Samsó	521,55	513,71	484,44	458,41	384,45
Garnacha negra	615,21	608,42	549,89	464,64	313,20
Merlot	66,80	53,10	46,81	31,67	12,32
Syrah	97,22	90,97	69,37	53,92	23,14
Otros negros	31,33	25,64	25,64	8,60	4,62
Garnacha blanca	44,91	44,42	44,42	39,92	30,71
Macabeu	46,54	35,53	36,27	35,16	26,30
Pedro Ximénez	6,86	6,99	6,99	7,79	4,84
Otros blancos	22,24	11,98	11,91	8,90	7,28
Total variedades	1.633,16	1.577,38	1.430,02	1.229,85	878,5

Fuente: Consejo Regulador D.O.C. Priorat. Elaboración propia.

Expresado en porcentaje sobre el total de hectáreas de cada campaña, la proporción entre variedades es la que se presenta seguidamente:

CUADRO 3.

	2004	2003	2002	2001	2000
Cabernet Sauvignon	11,2	11,8	10,8	9,8	8,2
Samsó	31,9	32,6	33,9	37,3	43,8
Garnacha negra	37,7	38,6	38,5	37,8	35,7
Merlot	4,2	3,4	3,3	2,6	1,4
Syrah	6,0	5,8	4,9	4,4	2,6
Otros negros	1,9	1,6	1,8	0,7	0,5
Total variedades negras	92,6	93,7	93,1	93,7	92,1
Garnacha blanca	2,7	2,8	3,1	3,2	3,5
Macabeu	2,8	2,3	2,5	2,9	3,0
Pedro Ximénez	0,4	0,4	0,5	0,6	0,6
Otros blancos	1,4	0,8	0,8	0,7	0,8
Total variedades blancas	7,4	6,3	6,9	6,3	7,9
Total variedades	100,0	100,0	100,0	100,0	100,0

Fuente: Consejo Regulador D.O.C. Priorat. Elaboración propia.

En el caso de las variedades negras se puede observar una disminución del peso relativo de la samsó (cariñena) que pasa del 43,8 por ciento en el año 2000 al 31,9 en el 2004; esta disminución de 11,5 puntos se reparte principalmente entre las variedades cabernet sauvignon (con un incremento de un 3 por ciento), garnacha negra (crece un 2,4 por ciento) y syrah (un 3,4 por ciento de incremento).

Dentro de las variedades blancas, claramente minoritarias en relación con la superficie plantada total (representan un 8,1 por ciento sobre el total de las hectáreas amparadas por la D.O.C. Priorat), es la garnacha blanca la que presenta una pérdida de peso relativo compensada con el incremento del resto de variedades blancas.

En valores absolutos la superficie plantada ha crecido en los últimos cinco años un 84 por ciento, sin que se haya producido pérdida de hectáreas en ninguna variedad (excepto la cabernet sauvignon entre los años 2003 a 2004). Se puede decir que la garnacha negra y la samsó (70 por ciento de la superficie en el año 2004) son el eje central sobre las que se incorporan las aportaciones del resto de variedades negras con el fin de realzar los vinos de la D.O.C. Priorat.

Convendría señalar que en el caso de los vinos blancos resulta más difícil encontrar denominadores comunes que definan lo que fuera representativo de la zona.

La bodega

"Tendréis cuidado de limpiar el lagar y las comportas y todas las herramientas que tienen que tocar las uvas, que requieren gran esmero... Haréis pisar bien la vendimia, de modo que no quede ningún grano sin pisar, ya que cuando la casca bulle con fuerza los deshace excepto los que estaban ajados. Al cabo de 8 días que habréis dejado de poner uva en el lagar, lo trascolareis, y pondréis el vino en toneles. Seréis cuidadosos en tenerlos bien limpios...". *Tractat d'Agricultura*, manuscrito anónimo de Porrera, siglo XVIII. Isabel Juncosa Ginestà.

Si el número de hectáreas ha crecido, también lo ha hecho la cantidad de viticultores de la D.O.C.. Este dato resulta muy significativo puesto que indica, por una parte, el rejuvenecimiento de la población activa dedicada a la viticultura y, por otra, el mantenimiento en la zona de la estructura de las explotaciones de tipo pequeño y mediano.

CUADRO 4. *Viticultores inscritos en la D.O.C. Priorat*

Año	Número	Δ anual
1999	367	–
2000	379	3,3
2001	554	46,2
2002	575	3,8
2003	600	4,3

Fuente: Consejo Regulador D.O.C. Priorat. Elaboración propia.

También se ha producido un fuerte incremento en el número de bodegas presentes en la D.O.C. Priorat (las cifras que se presentan son de bodegas oficialmente inscritas hasta finales de 2004).

CUADRO 5. *Bodegas inscritas en la D.O.C. Priorat*

Año	Número	Δ anual
1998	23	–
1999	32	39,1
2000	32	0
2001	40	25
2002	43	7,5
2003	45	4,6
2004	51	13,3

Fuente: Consejo Regulador D.O.C. Priorat. Elaboración propia.

Si analizamos la evolución de las diferentes ratios que se muestran en el cuadro 6, se puede observar que mientras el número de hectáreas por viticultor se incrementa en un 26,6 por ciento entre el año 1998 y el 2003, la ratio de viticultores por bodega se reduce en un 8,6 por ciento durante el mismo periodo y el número de viticultores por bodega se reduce de 18,5 en el año 1998 hasta 13,3 en el año 2003, lo que representa un 27,8 por ciento de reducción. Sacar conclusiones puede resultar atrevido, pero parece entreverse una tendencia a que los viticultores vayan creando sus propias bodegas, cerrando de este modo el ciclo productivo.

CUADRO 6.

Año	Ha/viticultor	Ha/bodega	Viticultores/bodega
1998	2,1	38,7	18,5
1999	2,6	29,4	11,5
2000	2,3	27,5	11,8
2001	2,2	30,7	13,9
2002	2,5	33,3	13,4
2003	2,7	35,4	13,3

Fuente: Consejo Regulador D.O.C. Priorat. Elaboración propia.

Las producciones obtenidas a lo largo de las últimas campañas son las siguientes:

CUADRO 7.

Campaña	Hectolitros
1990-1991	11.778,00
1991-1992	8.964,00
1992-1993	10.331,00
1993-1994	10.505,00
1994-1995	7.414,00
1995-1996	8.995,00
1996-1997	10.590,00
1997-1998	13.081,00
1998-1999	13.419,24
1999-2000	13.116,00
2000-2001	18.641,76
2001-2002	17.619,07
2002-2003	19.600,00
2003-2004	21.000,00

Fuente: Consejo Regulador D.O.C. Priorat. Elaboración propia.

Junto con el incremento de producción se ha producido un aumento de las ventas y, lo que es más importante, un incremento del precio promedio por litro.

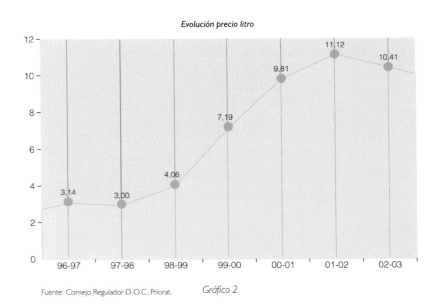

Evolución precio litro

Fuente: Consejo Regulador D.O.C. Priorat.　　*Gráfico 2*

El peso del mercado interior y de las ventas exteriores ha evolucionado de la siguiente manera:

CUADRO 8.

Campaña	Mercado interior	Mercado exterior	Total	% Exp/Total	% UE/ export
1995/1996	4.289,7	1.649,1	5.938,8	27,8	37,3
1996/1997	5.062,6	2.041,2	7.103,8	28,7	56,6
1997/1998	6.868,9	2.953,7	9.822,6	30,1	49,6
1998/1999	5.746,8	4.328,9	10.075,7	43,0	56,8
1999/2000	7.190,3	3.327,3	10.517,6	31,6	45,1
2000/2001	4.979,3	3.358,2	8.337,5	40,3	46,0
2001/2002	5.087,6	5.046,5	10.134,1	49,8	46,4
2002/2003	5.122,3	4.079,9	9.202,2	44,3	36,4

Fuente: Consejo Regulador D.O.C. Priorat. Elaboración propia.

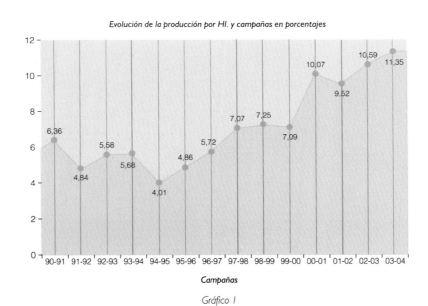

Evolución de la producción por Hl. y campañas en porcentajes

Campañas

Gráfico 1

Se puede apreciar de una ojeada la constante subida del peso de las ventas en el mercado exterior en relación al total comercializado, pasando del 27,8 por ciento en la campaña 1995-1996 al 44,3 por ciento en la de 2002-2003.

Si se separan las ventas a otros estados del a UE y al resto del mundo del total de ventas al exterior se puede observar una fuerte fluctuación de este porcentaje, con un máximo del 56,8 por ciento en la campaña 1998-1999 y un mínimo de un 36,4 por ciento en la campaña 2002-2003.

Conclusiones

La D.O.C. Priorat se fundamenta en las peculiaridades de la Tierra; las características de sus suelos, de los microclimas y las variedades de viñas cultivadas hacen de esta combinación la base sobre la que se levanta toda la estructura de los vinos de la D.O.C. Priorat. Resulta pues primordial la defensa de este patrimonio de todos los actores que están implicados en el sector vino.

Las características del cultivo y las técnicas utilizadas: trabajo delicado, parcelas de pequeña y mediana extensión, reducción de la carga de uva por vid, recogida manual, nula o escasa presencia de riego de apoyo en las viñas que permite obtener la máxima calidad de la uva. La aplicación de nuevas tecnologías debería realizarse siempre después de estudios previos de implantación de carácter experimental, con el fin de asegurar que estas técnicas ayudarán a incrementar la ya alta calidad de la uva producida.

La existencia de un gran número de bodegas, en su mayor parte con producciones propias, dotadas de la infraestructura y la maquinaria adecuada, de personal calificado y de técnicos, ha permitido la obtención de una muy importante gama de productos que, dentro del carácter propio de la D.O.C. Priorat, refleja la personalidad de cada bodega. Tal vez convendría profundizar en la elaboración de un abanico más amplio de vinos (negros jóvenes, rosados, blancos, vinos dulces naturales, etc.) que en este momento no son representativos dentro de la producción de la D.O.C. Priorat y que podrían servir para llegar a un sector mayor de público consumidor, dando a conocer todavía en mayor medida la D.O.C. Priorat.

Finalmente, el excepcional territorio (entorno natural, paisaje, cultura y gastronomía tradicional...) y la gente del Priorat son en sí mismos un excelente motivo de visita. La potenciación del turismo ecológico y la defensa de este patrimonio son las dos caras de una importantísima herramienta para el desarrollo integral de estas tierras.

BIBLIOGRAFÍA

COBERTERA, E.: *Los suelos cultivados de la provincia de Tarragona*. Tarragona: Diputación de Tarragona.

Estadístiques Agràries i Pesqueres de Catalunya. Varios años. Barcelona: Gabinet Tècnic del DARP, Generalitat de Catalunya.

HIDALGO, L.: *Los suelos de la vid en España*. Madrid: Mapa.

JUNCOSA GINESTÀ, I.: *Tractat d'Agricultura*. Manuscrito anónimo de Porrera, siglo XVIII. Reus: Centre d'Estudis Comarcal Josep Iglésies.

NADAL ROQUET-JALMAR, M.: *Els Vins del Priorat*. Cossetània Edicions.

Registro Vitícola (Provincia de Tarragona). Madrid: Mapa.

Variedades de Vid. Registro de variedades comerciales. Madrid: Mapa.

Un grupo de bodegueros en la Cartuja de Scala Dei. Junio 2004

A numerous group of winegrowers at the Scala Dei monastery. June 2004.

Las bodegas actuales

A.V. Costers del Siurana, S.A.T.	Gratallops	De Muller, S.A.	El Molar
Agrícola de Poboleda, S.C.C.L.	Poboleda	Devinssi, S.L.	Gratallops
Alvaro Palacios, S.L.	Gratallops	Francisco Castillo Serrano	Porrera
Bell-Serrai Garsed e Hijos, S.L.	Bellmunt del Priorat	Francisca Vicent Robert	Gratallops
Bodegas B.G.	Gratallops	Genium Celler, S.L.	Poboleda
Bodegas Pinord, S.A.	Falset	Gratavinum, S.L.	Torroja del Priorat
Bodegas Viñedos de Cal Grau, S.L.	El Molar	Jaume Sabaté Mestre	La Vilella Baixa
Celler Ardèvol i Associats, S.C.P.	Porrera	Joan Ametller, S.L.	La Morera de Montsant
Celler Cal Pla, S.L.	Porrera	Juan José Escoda Bou	La Vilella Alta
Celler Cecilio, S.L.	Gratallops	La Conreria d'Scala Dei, S.L.	Scala Dei
Celler de l'Encastell, S.C.P.	Porrera	La Perla del Priorat, S.L.	El Molar
Celler del Pont S.L.	La Vilella Baixa	Llicorella Vins, S.L.	Torroja del Priorat
Celler dels Pins Vers, S.L.	El Molar	Mas Igneus, S.L.	Gratallops
Celler Joan Simó, S.C.P.	Porrera	Mas Martinet Viticultors, S.L.	Falset
Celler Mas de les Pereres, S.L.	Poboleda	Mas Perinet, S.L.	La Morera de Montsant
Celler Mas Doix, S.L.	Poboleda	Masdeu i Campos, S.L.	Gratallops
Celler Mas Garrian, S.L.	El Molar	Masia Duch, S.L.	Scala Dei
Celler Rosa Ma. Bartolomé Vernet	Bellmunt del Priorat	Merum Priorati, S.L.	Porrera
Celler Vall-Llach S.L.	Porrera	Pasanau Germans, S.L.	La Morera de Montsant
Cellers Capafons-Ossó,S.L.	Falset	Piró de Matret, S.C.P	Falset
Cellers Costers del Ros, S.C.	Gratallops	S.A.T. Els Cups	Poboleda
Cellers de la Cartoixa de Montsalvat, S.L.	La Vilella Alta	Sangenís i Vaqué, S.L.	Porrera
Cellers de Scala Dei, S.A.	Scala Dei	Terres de Vidalba, S.L.	Poboleda
Cellers Fuentes, S.L.	Bellmunt del Priorat	Terroir al Límit, S.L.	Torroja del Priorat
Cellers Ripoll Sans.	Gratallops	Tros del Padrí, S.L.	Porrera
Cims de Porrera, S.L.	Porrera	Vinícola del Priorat, S.C.C.L.	Gratallops
Clos Berenguer, S.L.	El Molar	Vins d'Alta Qualitat, S.L.	Torroja del Priorat
Clos Figueras, S.A.	Gratallops	Vinyes Mas Romaní, S.A.	La Vilella Alta
Clos i Terrasses España, S.L.	Gratallops	Viñedos de Ithaca, s.L.	Gratallops
Clos Mogador, S.C.C.L.	Gratallops	Viticultors del Priorat, S.L.	Bellmunt del Priorat
Combier-Fischer-Gerin, S.L.	Torroja del Priorat	Viticultors Mas d'en Gil, S.L.	Bellmunt del Priorat

THE PRIORAT

THE LAND AND THE WINE OF THE DENOMINACIÓ D'ORIGEN QUALIFICADA PRIORAT

MAURICIO WIESENTHAL

In Praise of Red Wine

Over twenty years ago Alain Razungles, Hugh Jonson and myself engaged in a Spanish wine tasting session. And having sampled over one hundred reds – selected from among those regarded as the best – we wrote a note apart in praise of the wines of the Priorat, fruit of those slate soils known locally by the flavoursome name of *llicorelles*. Not everyone was pleased by this gesture on our part, because at that time some people were reluctant to accept that Catalonia was a land of great red wines. Few wineries that bottled their own produce remained in the Priorat. And not only from beyond the frontiers of Catalonia were they looked upon as potential rivals with the usual misgivings; in the Priorat itself some were determined to defend only the prestige of the local white wines, which is generous and legitimate, even in detriment to the reds, which strikes me as unjust at the very least. And for this reason a number of snobs rejected these wines, claiming that they were too strong, too full bodied, oxidised, humiliated with all the defects then attributed to the *Garnatxa* grape. Very few at that time expressed their faith in this region of mineral soils by proclaiming – as we did – the quality of "its deep, aromatic red wines, the glory of the ancient Mediterranean tradition".

Fortunately, since then much has changed for farmers, winegrowers and good wine enthusiasts. Today, nobody is surprised to learn that beyond our frontiers Priorat is regarded as one of the "most coveted jewels" of European wine. Neither is anybody surprised when these reds are awarded international prizes time after time.

A Birthright at Stake

When Jacob fled from home, fearing reprisals from his elder brother, whose birthright he had stolen, he had a mysterious dream: he saw a ladder on which God's angels descended from and climbed up to heaven. Like a tramp, he had fallen asleep on hard ground, resting his head on a stone, which he called *beth-el*, the house of God, because he heard something magically murmuring inside. It is for this reason that Spanish archaeologists call ancient ritual stones *betilos*, stones that are often associated with the mother goddesses of fertility and with the priestesses who anointed them with water, oil or wine, offering them libations in ceremonial rites. And still today, in some places stones serve as amulets to ensure a good night's sleep.

The stone that inspired Jacob's dream was probably a meteorite, like the *ka'bah* at Mecca, like the black Circe in the caves of Phrygia, like the *onfalos* on which the oracle sat at Dephi.

Bees and honey, the vine and wine, the fig tree, the olive tree, resin and ivy, drums and oboes (the Greek *aulos*, the Roman *tebia*, the Catalan *tible*) accompanied the secret cults of the holy stone in Antiquity. When you come to the Priorat and lose yourself along its paths, smelling the acrid aroma of the vineyards, drinking its wines of fire and rosemary, you might think that nothing has changed for over ten thousand years in this ancient Mediterranean region. There is bread, oil and wine. There are magic stones everywhere. And still today there are bees that hum in their hives.

A Holy Name for a Rocky Place

When the Carthusians came to the Priorat in the twelfth century, they called their monastery Scala Dei, in memory of their patriarch's dream. It is said that a shepherd told them how on this stony Calvary he had seen a ladder on which the angels of God climbed up and down. The shepherd must have been a poet, because the Priorat attracts poets just as ripe grapes attract bees.

In the Grande Chartreuse the community lands are still called *correries*, a word that has been the cause of much controversy among philologists. In my opinion, however, its most direct origin must be sought in the Catalan *conreria*, which refers to a place for cultivation (*conreu*). The monastery of Scala Dei had its own *conreria*, as did many others of its Catalan counterparts.

Today's Priorat continues to be a depopulated region of mountains and romantic beauty, spattered with exquisitely austere medieval villages among vineyards extremely difficult to tend. The reddish-coloured mountains are covered with scrubland and aromatic herbs. The river Siurana and its tiny tributaries irrigate the area. Vines are generally cultivated on terraces, cut into the hard slate (*llicorella*) soil, sometimes as high as eight hundred metres above sea level.

The wines of the province of Tarragona already featured in the writings of the classical authors, such as Pliny the Elder and Silius Italicus. And nobody need doubt that the Romans possessed that predatory instinct that led them to build an empire and exploit the natural resources of their provinces. Consequently, having dispossessed the subsoil of all its lead and silver, they came to the conclusion that planting vines on the rocks, lit by the sun and fed by the air, provided them with the perfume of wine, affording greater delight and requiring less effort. There are many good wines in the world. Sometimes they are the product of soft, light productive lime soils. But there are few like those of the Priorat, where the vines grow on poor, acid, rocky soils, flaky like puff pastry. This is the *llicorella* of the Priorat, slate older than human memory. Even the rosemary has a different aroma, reminiscent of eucalyptus, very different from the rosemary of Corsica, which has the lemony smell of verbena, or the rosemary of Provence, with its perfumed whiff of camphor.

Like a magician, I can see the Priorat in the sparkle and reflections in my glass. In Catalonia, the wine that in other languages is called red, *rouge*, *rosso*, or *rot* is called *vi negre* (black wine).

It is the colour of the black goddesses, the shining mantle of acid rock, the dying light of hot embers. I smell the perfumes of my land: rosemary, thyme, laurel, tarragon, the bitter peel of orange, the smell of burnt vine shoots on autumn evenings, and the north-west wind, the *serè*, which smells of warm earth, of olives and dried figs. The black rock of cold nights in the Priorat is transformed, at midday, into pepper, sweet and warm, as if the sun were a painter of tropics.

I would put my hands together to take this offering from the Priorat to the sun, an offering that is like the harvest that the farmer loads onto his cart before he returns home after a day's work on the rock. I taste the velvet of mature tannin, the pulp of the fruit – the warm, juicy *Garnatxa*, like the pomegranate of Hades that made those who sat on the chair of oblivion lose their memories –, the sweet wood of the oak, the warmth of hospitality. Names of grapes: *Carinyena*, born from hard wood, whose name must surely derive from the Latin *caro*, meaning flesh; the aristocratic *Cabernet Sauvignon*; the *Syrah* that sounds sweet on one's lips, like a line from Hafiz; and *Merlot*, named after a bird, which has the aroma of wild blackberries.

In one of the inns with a bright fire burning they will offer me *llom amb vi negre* (pork loin cooked in red wine), *arròs amb verdures* (a rice dish with vegetables), *conill amb cargols* (stewed rabbit with snails), *bacallà amb carxofes* (cod with artichokes), a few *orelletes* (dried apricots) – whose aroma is tinged with aniseed, like some of the Priorat white wines –, or perhaps just a little cheese and a few herbs to accompany the wine, Carthusian style.

A Portion of Wine

The followers of St. Bruno cultivated the vine and made wine in the Carthusian monastery of Scala Dei, in accordance with a tradition of work and spirituality that dates back to the time of St. Benedict of Nursia and was subsequently shared by Benedictines, Cistercians, Trappists and Olivettans.

One of the chapters of the Rule of St. Benedict is entitled "How to Drink?", and it tells us that "it is better to drink a little wine out of necessity than much water with avidity", while offering sound advice regarding temperance.

The hard work of the monks justified this tiny dose of energy. And some tasks, such as tree felling and ploughing vineyards, deserved supplementary rations. The decision to build a new monastery was often based on the productivity of the first vines.

The Carthusians of Scala Dei dressed in habits of white wool, their shaved heads covered with a cowl. And their destination was the starry heavens: a life serenely anchored in the joy of resurrection. For, unlike other monastic orders that buried themselves to discipline their lives in the contemplation of death, the Carthusians decided to become white statues and contemplate life in loving silence.

The slow "adagio" of Carthusian life is marked by prayers of joy, from the matins to the halelujahs of Gregorian chants, from the *laudes* to the *ave Marias* that each friar prays before entering and leaving his cell.

In the simple meals of the Carthusians there is no lack of bread or wine, although they do not eat meat. This may be fruit of a sentimental superstition of old shepherds reluctant to sacrifice their flocks. And although wise St. Benedict confessed that he felt uncomfortable when establishing "the measure of the sustenance of the rest" – a delicate scruple that today's advocates of dietetic fashions might share! – monks were allowed a *hemina* of wine per day, that is, less than a quarter of a litre, a dose that today, when we know that wine drunk in moderation is beneficial to health, we would accept as more than prudent.

Sundays were celebrated, as were saint's days, weddings, christenings, coronation of monarchs and the visits or sojourns of personalities such as bishops and princes. If in the months of August and September, before the grape harvest, there was still some wine left, it was shared out among friars and laymen, its defects masked by honey and powdered sage.

This moderate Carthusian diet of bread and wine fostered longevity, as in the cases of Brother Aynard, who lived for 126 years at the Grande Chartreuse, or Father Jaume Amigó, who died at the age of 107 in Scala Dei. And even today, the obituaries of the Order reveal that Carthusians who accept the discipline young often reach over ninety years of age, as if they had lived in the shade of the miraculous holm oak of Mamre.

Perhaps Priorat is a mystic wine. It is the product of a magic land that induces one to dream of angels, extracts fire from the hard rock and transforms it into an offering, gathering up the broken fragments rejected by the prudent and making stars from this rubble. When the wind blows and the cypresses bend over, the stones of Scala Dei seem to speak to the vines, telling them old stories. And the wines of the Priorat are produced in the midst of legends that tell of knights errant, Jewish sages, Moorish princesses, alchemists and black Virgins. Perhaps, as I write my *laudes* in the early morning, I might contend that this black wine is in fact an offering from the rock, from the wind, from the vines and from the silence to my Black Virgin.

It is worth following the paths that lead to these mountain villages, visiting their hermitages, their stone bridges, their old cooperative wineries that evidence man's honest toil, and the ruined monastery that smells of lemon balm, the plant of the solitary.

Years ago they looked askance at me because I enthused over the wines of this land. Now I walk happily towards the horizon, carrying the product and the tools of my modest harvest over my shoulder. The men and women of the Priorat have more than earned their reputation, and in this book Anna Figueras, Rafael López-Monné and Toni Orensanz write many fine truths about them. The rest is written in the wines.

RAFAEL LÓPEZ-MONNÉ

The Priorat Enclosure

The vineyards of the *Denominació d'Origen Qualificada Priorat* cannot see the sea, even though they stand on top of it. Theirs is an ancient, hard, angular sea of dark waves, of solid stormy waters. It is a sea difficult to sail. The horizon appears immediately to disappear and reappear. The views are hardly ever panoramic. The region's true dimensions may be appreciated only from the highest peaks, where man's endeavour has built the occasional hermitage. We must ensure that the devil, who is ever-present, does not further anger the waves. If you get seasick, or need to regain strength, the best thing to do is put your feet back on flat dry land. The Montsant is a safe place. The Serra Major offers a privileged view of the *Prioratí* sea. The Palaeozoic waves break against the foot of the sacred mountain's cliffs. In the background, looking southwards, we see how the waves gradually abate until they disappear on the gentle green plains of the Baix Priorat.

By penetrating this unique world you expose yourself to the risk of being seduced by a land that gives off an essential primitive sweat, the sweat of stone, of slate. Austerity and severity, as well as the experiences of hermits and Carthusian monks, have impregnated the landscape with real, tangible spirituality, which does not necessarily bear any relation to religiousness. It is this sea of ancient rock and clean air that nourishes the vineyards. Their vines are not luxuriant, nor can they be. And yet they masterfully combine all the essences of this land. Subsequently, expert hands are needed to cut the diamonds that emerge from the vine stocks, the hands of alchemists whose wisdom transforms grape juice into gold to delight the senses. The Priorat is undoubtedly synonymous with wine. Few regions have come to enjoy such prestige thanks to their wines. Few regions have a past and present with such a deep gut relationship with wine.

A Secluded Country

The *Denominació d'Origen Qualificada Priorat* lies in the south of Catalonia, between the Camp de Tarragona and the Terres d'Ebre. Much of the *D.O.* is sus-

tained by stony terrain, by a basin of Palaeozoic sediments consisting of Carboniferous slate. Erosion has given rise to a rugged landscape with a multitude of hidden corners. From the surrounding mountain ranges, in his *Geografia de Catalunya* Josep Iglésies comments that the Priorat appears as a "set of sinuous, flattened and rounded mountains, with dark nuances". This is the oldest Priorat, the Priorat of slate. Beware, though, for those low, rounded ridges are synonymous with gentleness only from a distance. As we explore them, we discover a severe world of steep, imposing slopes and tortuous uncompromising terrain. Indeed, in his *Guia de Catalunya* Josep Pla confessed that the region had struck him as "tempestuous, cataclysmic, of forbidding geological violence". Mallada likened the mountains of slate to "the gigantic waves of a raging sea", while Iglésies took up the image by describing the local towns and villages as "tiny boats that spread out as they negotiate wave after petrified wave". This Palaeozoic glade forms a kind of undulating amphitheatre with heights that vary generally between 250 and 500 m above sea level, while in the extreme north-east they approach 1,000 m on the Molló peak, between the cols that provide access to the Camp. On the western side, the vineyards reach the foothills of the Montsant, a formidable massif of Oligocene conglomerates. To the south and east, the slate gradually smoothes off as it combines with the calcareous ranges and outcrops.

It is said that vines require air and sun and detest excessive humidity. The massifs, ranges and ridges on the perimeter and the periphery of the *D.O.* have signed a covenant to protect the lands they enclose from outside influences. The relief has created a world practically closed in on itself, a land sheltered from the damp sea winds by a succession of mountains, such as the massif of Colldejou, the Serra de Pradell, the Serra de la Garrantxa and the Serra del Molló. On the other side, the Serra de la Figuera, the Puigroig and the hills of slate temper the warm west winds and act as a barrier to the mists that rise up from the great river, the Ebre. Finally, the impetuous *Mestral* or *Seré*, that is, the cold, violent northwest wind, is considerably weakened by the great protector, the Montsant. The outcome, according to experts, is a dry, temperate climate, cooler than that of El Camp de Tarragona and drier than that of La Ribera de l'Ebre, with an average annual rainfall of around 560 ml.

Despite the short distance between the Priorat and the waters of the Mediterranean (fewer than 20 km), it would be imprudent to take the mild coastal temperatures as our point of reference. The winter cold of the Priorat is ravenous and sinks its teeth into the flesh of the incautious. On the other hand, in summer the heat of the midday sun is so intense that it breaks the stones up into smithereens. Immobile, a prisoner of gravity, the slate protects itself as best it can and becomes a huge mirror flooded with light, a blinding, disintegrating light. At last, the sun eventually withdraws and the cool of summer evenings acts like a balm that soothes both vines and people. One might imagine that spring and autumn, far removed from extremes, are mild and pleasant. And this is true, though not always. The equinoxes fill the Priorat with shining colours and golden light, with delicate births and sumptuous deaths. But such beauty on earth occasionally arouses the envy of the gods who, from time to time, allow the heavens to fall in one go. As the song goes, in this country it rains little, but when it does rain the results are devastating. Then the saints have work to do and the peasants, who will have disowned everything sacred, too.

The Taste of Stone

"En tems del dilubi universal que Déu castigà los hòmens per tants pecats avien comesos, que les aigües pujaren 30 pams més que la muntanya més alta del món, (…) com l'aigua estigué 115 dies com diu l'Escriptura, pot ynferí qualsevol ab tans dies se desapega de les muntanyes la terra a.pasterades al fondo (…) Aquelles pasterades de terra que devallà de les muntanyes que segons d'a.on devalla la terra té la substància, com lo vi que segons la saba que té lo vi d'haquella la bóta la saba. (…)" [1]

With these words, in the late eighteenth century an enlightened peasant from Porrera began to explain why the wines from his region have such a special taste. He adds that the mountains in general are composed of three kinds of stone, namely slate, soldó and limestone. Slate (in Catalan llicorella, with local variations such as licorella, llicorell or llecorell), is the unchallenged protagonist of the Denominació d'Origen Priorat, although the region also comprises a number of areas from which slate is absent, such as the foothills of the Montsant and much of the mountain itself. The term llicorella is linked to llècol, a word used to designate humour, taste, flavoursome mellowness, the etymological source of which is the Celtic likka, which means stone. Stone, taste, slate, llicorella: all these words

may be regarded as synonymous with the Priorat, as the anonymous author of the Tractat d'agricultura quoted above confirms:

"D'aquelles 3 espèsies de muntanyes la de primera calitat són les de llecorell, que la [e]timologia del nom ya diu llago, que vol dir gust, de tal manera que tots los fruits tenen diferent gust que les demés. Y és la causa que lo vi de les muntanyes de llecorell ab la mateyxa calitat de raïms és més llacorós, y lo mateix són les aigües de batudes en los barranchs de roques de llecorell tenen un diferén gust que les que provénen de muntanyes de cals, ni soldó, com lo Priorat de la cartuixa d'Escala.Dei, d'à.on só fill, que.s compon de 6 viles y les terres que té lo monastir, y les 6 viles tota és muntanyes de llecorell, encara que també y.à muntanya de cals y soldó encara que poques." [2]

Today, the almost atavistic imprint of stone, of llicorella, persists in the Priorat. One need only consult the comments of wine tasters to find opinions like "mineral tastes" or "touches of slate". It is as if the llicorella had dissolved into the sugar of the grapes that grow on its back.

Names, Legacies and Boundaries

There is absolutely no doubt about the historical origin of the name Priorat, since the region comprised the domains of the prior of the Carthusian monastery of Scala Dei. This feudal estate encompassed the municipalities of Poboleda, La Morera, Porrera, La Vilella Alta, Torroja and Gratallops – the six towns and villages mentioned in the manuscript by the peasant farmer from Porrera –, as well as part of Bellmunt. This is the region known historically as the Priorat Històric or the Priorat d'Scala Dei. The Priorat grape and wine-growing designation of origin was declared in 1954, and everything seems to indicate that the initial criterion applied was to identify and safeguard the wines produced in the old Priorat d'Scala Dei, that is, in the seven above-mentioned municipalities. Furthermore, most of the land in the region consists of slate; consequently, the initial criterion was not only historical but also geological. The D.O. was required to encompass those territories in which slate imposes its own laws when it comes to cultivating vines. Thus, to the seven historical municipalities of the Priorat d'Scala Dei were added those of El Lloar, La Vilella Baixa and the northern portions of those of Falset and El Molar. The outcome of this was a D.O. of almost 15,000 hectares, of which only just over 3,600 are occupied by vineyards. Though small, therefore, the D.O. has a strong personality of its own, fruit of a unique combination of historical and geological factors. A designation of origin characterised by two fundamental aspects: the difficulties involved in cultivation and the quality of the grapes provided by the llicorella.

The winter light illuminates the riverside woodland of the Siurana as it flows through Poboleda.

The *Denominació d'Origen Qualificada Priorat* does not coincide with the boundaries of the administrative district or *comarca* of the same name. What is known as the *comarca* of El Priorat comprises a more extensive territory that encompasses another grape and wine-growing designation of origin of rising prestige: the *D.O. Montsant*. The curious reader will have realised by now that the historical Priorat coincides neither with the *comarcal* Priorat nor strictly with the *D.O.Q. Priorat*. What is more, the geological Priorat, the Priorat of the *llicorella*, does not entirely square with its historical, viticultural or *comarcal* equivalents. And as if this were not enough, much of the mountain of the Montsant falls within the *D.O.Q. Priorat*, though it also gives its name to the *comarca*'s other grape and wine-growing designation of origin. Having reached this point, I beg the reader's pardon if he or she has become hopelessly lost among so many Priorats; the fact is, however, that this is an unavoidable characteristic of the region. The muddle of names and boundaries makes only one thing clear: although so small, this tiny portion of the world is and has always been highly complex.

Already in the olden days, although they were perfectly aware that the historical Priorat was smaller, when referring to the Priorat the local people included the lands beyond the cols of Alforja and La Teixeta. Official delimitation of the administrative *comarca* did not come until 1932 with the *Ponència de la Divisió Territorial de Catalunya* implemented by the republican Generalitat. In the Priorat, surveyors contributing to the *Ponència* were faced with an especially complex task. The idea was even contemplated of creating not an autonomous *comarca* as such but rather of sharing it out among the neighbouring *comarques* of El Baix Camp and La Ribera d'Ebre. Experts entrusted with drawing up the administrative map of Catalonia sought a division that would respond to the functional realities of the region, hence the fact they laid particular emphasis on establishing the logic of the local population's habitual movements. Thus, for example, one of the fundamental criteria governing the *Ponència* was that no village be over one day's journey by cart from the main market of the *comarca*. In the Priorat, the people of only six of the thirty-nine villages that constituted the administrative district of Falset stated that they went to that town's market.

Once democracy and autonomous government had been reinstated after the Franco dictatorship, the new Generalitat of the 1980s decided to restore division by *comarques*, although no study of the criteria governing such division was conducted. The outcome is a set of *comarques* conceived in terms more of political convenience than of decentralisation, which was the principle that informed the *comarques* of the thirties. Whatever opinions there may be about the wisdom of such division, the fact is that today, over seventy years later, experts still face difficulties when it comes to outlining the territorial cohesion of the Priorat. This is an obstinate region, of an obstinacy that seems to be structural. A territory in which contradiction still prevails between physical geography and econom-

ic geography. While the waters of the river Siurana flow down to the Ebre, the local population crosses the cols of Alforja and La Teixeta on their way to the markets of Reus and Tarragona, or those of New York, Berlin or Tokyo. The *comarca* of El Priorat continues to resist forming a clear geographical unit (Pradell and Margalef are separated by an entire world and half a universe). The different historical traditions and innermost feelings – often gut feelings – are still very much alive and contribute to the existence of a variety of Priorats that do not always coincide.

Silence, Solitude and Power

According to the chronicles, in September 1163 Albert de Castellvell, lord of Siurana, and King Alfons I received a formal request from Ramon de Vallbona (founder of the monastery in the village of the same name) for permission to lead a life of seclusion and contemplation, together with some of his followers, near the Montsant. The mountain already enjoyed a reputation as a place for prayer and spiritual retreat. The Catalan monarch, eager to repopulate those lands recently reclaimed from the Moors, not only granted permission but went even further by summoning a community of Carthusian friars, emulators of St. Bruno, from France. Carthusian ideals are based precisely on attaining a synthesis between the best of the hermitic and monastic lifestyles. The monks' wish was to pray alone in cells in an appropriate place while the king's objective was to establish a monastery that would foster the coming of new colonisers to work the land and make it prosperous. The dice of the future had been cast: Montsant, spirituality, Carthusians and wine.

Initially, the monks settled on a site called Populeta (the future Poboleda) where poplar trees grew on the banks of the Siurana. The new lands assigned to them in 1203 by Pere I allowed the community to move to a secluded corner beneath the imposing cliffs of the Serra Major del Montsant. The bottom of a narrow ravine was the site chosen to build what would be the Peninsula's first Carthusian monastery. Tradition has it that the name Scala Dei derives from the vision of a shepherd who swore that on that very site he saw a ladder (*escala*) on which angels descended from heaven. Perhaps he did, perhaps the vision was fruit of an excess of faith (or wine!), or perhaps the shepherd had a dream in which he confused the ladder with the natural steps cut into the rock that from the Grau de l'Escletxa, just above Scala Dei, do indeed climb up to heaven, the heaven of the Montsant. Whatever the case, the new site was perfect: secluded, silent, hidden and sheltered by the walls of the sacred mountain. And it would surely have recalled in the monks' minds the isolation and near inaccessibility of the Grand Chartreuse. The Carthusians yearned for the life of the hermit, the first form of religious life that emerged in the East. The Montsant must have evoked the bare, stony settings inhabited by the first Christians who embraced the practice of solitary prayer.

As the following centuries unfolded, the domains and the power of the Carthusians increased. Jaume I extended the lands of their estate and Archbishop Aspàreg de la Barca authorised them to levy *delmes* and receive the first fruits, as we learn from historian Pere Anguera, as acknowledgement of prior Rondulf's sermons against the Cathar nucleus that had become established in the mountains of Prades. Jaume II, Alfons III and Pere III granted them fixed annual incomes, and their successors extended their rights and privileges. As time went by, the prestige and the buildings of the monastery grew. In 1564 Philip II visited the Carthusians and confirmed their ancient privileges, as his father the Emperor Charles V had done before him and as Philip III would do after his death. As from the mid-seventeenth century, the monastery became actively involved in the thriving wine and brandy trade from which it made handsome profits, particularly during the eighteenth century. In 1741, for example, the prior had the Carthusian escutcheon engraved on all the Montsant hermitages as a token of just how far his powers extended.

Returning to the seventeenth century, however, abuse of power on the part of Scala Dei became the object of an increasing number of complaints and lawsuits. During the Liberal Triennial, the monastery was abandoned and its assets confiscated for the first time. The Carthusians returned in 1823, but their end was nigh. The 1835 Disentailment Law obliged the monks to abandon Scala Dei forever. In August that same year the hatred that had accumulated over centuries set fire to the monastery and the authorities did nothing to prevent the destruction. In the space of two years, what had been one of the Peninsula's richest and most influential monasteries was shamefully razed to the ground. Its ashlars and voussoirs were used to construct other buildings, to make dry-stone walls or crushed to pave roads. The treasures of Scala Dei quickly vanished into thin air. All except one. The deep-rooted tradition of winemaking introduced and cultivated by the Carthusians continues to be profitable.

The roots of the vines that grow on the slate are deep: they go down and down into the earth until they find the humidity they need. When the inhabitants of the region go in search of their roots sooner or later they make for the monastery. Paradoxically, the former and often cursed feudal power of the prior of Scala Dei has today become transformed into a link of identity not only for the descendants of his vassals but even for newcomers. The sentiment expressed by the author of the Porrera manuscript – "lo Priorat de la cartuixa d'Escala.Dei, d'à.on só fill" (the Priorat of the monastery of Scala Dei, of which I am a scion) – is as valid today as it was in the eighteenth century. Scala Dei continues to generate a sense of belonging, based on a prestigious passed further reasserted by the present. It

is a kind of umbilical relationship between the monastery, even though it is now in ruins, and the villages that once came under its domain. To a considerable degree, the *D.O.Q. Priorat* gathers much of this sentiment, a sentiment that is inseparable from the wine and the viticultural history of the region.

Mountain and Emotion

In one of the poorest districts of the Syrian city of Aleppo, there is a church where the chants may still be heard of the Urfali, the descendants of the Christians of Urfa, that is, ancient Edessa. The chants are of an almost supernatural beauty. The writer William Dalrymple speaks of "serpentine Halleuljahs that float with the light indecisiveness of feathers, falling in arpeggios with cadences that fade into the subdued black hole of deep bass". Everything suggests that these chants have remained practically unchanged since Byzantine times and may be the oldest in the entire Christian tradition. Indeed, they may be the origin of Western Gregorian chants. At Scala Dei, midnight was the setting for the most intense moment of Carthusian liturgy. Almost in complete darkness, among the long, trembling shadows cast by the light of candles and with no musical accompaniment, the monks sang the Gregorian chants of *Maitines* and *Laudes*. Outside the monastery, the rock faces of the Montsant echoed to the notes that came from the Byzantine East, reproduced and modulated by different vocal chords but carrying the same essence, the same spirit: bringing man closer to the divine or, al least, to serenity of the soul.

The Montsant is a mountain imbued with spirituality. The summit of the Serra Major is of an austere, silent nakedness that opens towards all horizons. This is a place in which to seek solitude, a place that would have delighted St. Bruno, according to whom only those who have experienced the silence of the desert may appreciate the innermost joy it provides. Even so, one need not be religious or a mystic to appreciate this quality of the Montsant. Our society has little by little fostered deeper, more emotional attitudes to mountains and the natural environment. This is an exercise of culture, of sensitivity, by which we explore, learn from, come to love and respect the beauty of landscapes as something magnificent. And for we humans, beauty is linked to spirituality, to serenity and to peace.

For centuries, and particularly in the eyes of those who lived in its immediate vicinity, the Montsant was basically a productive area, although an extremely poor one. The survival instinct led several generations to laboriously work the land to harvest cereals, potatoes and grapes. From the holm oaks they obtained charcoal and wood from the trunks of black pines, oaks and yews, while flocks of goats exploited the meagre pastures as best they could. Today, where once there was mere territory we now have a landscape, a landscape that has become a genuine symbol. For the Montsant is not only a major biosphere reserve but also a valuable cultural heritage. On the Montsant, practically nothing artificial interferes with the deep purport of the mountain. It is a harmonious landscape of tremendous theatrical force. It is the setting for deep emotions, for far-reaching, luminous sensations. The Montsant is the great stage set that constitutes the backdrop to the vineyards of the Priorat. Its presence, both physical and symbolic, is inseparable from the image of the terraces, of the vineyards and even of the wine itself. In winter, when the bronze hues of the *llicorella* gradually fade at dusk, behind the slumbering vines, the Montsant is tinged with the last rays of violet magenta light. Then the mountain acquires the aspect of a classical altar stone rather than that of a rocky massif.

Straddling the Llicorella

At night, from the summit of the Montsant, the Palaeozoic sea turns abysmally dark. Floating on the waves, the dim lights appear of the few boats, the villages that, having sailed for centuries, have eventually become accustomed to weathering the storm. Each one has chosen the crest of the slate wave on which it feels most comfortable and from which it may best cast its nets. There is one, however, that chose to stay close to the mountain with its stern end clinging to the rock, standing on a southward-looking platform from which it enjoys enviable views. La Morera de Montsant, the former Moraria, at 753 m above sea-level, is the highest village in the Priorat d'Scala Dei. The lives of the inhabitants of La Morera have invariably been closely linked to the Montsant. Indeed, much of the mountain falls within its extensive municipal district. What in the past was a busy mule track still climbs up from the Grau de la Grallera, as the old folk song goes:

Noies de Gratallops,
no us caseu a la Morera,
que us faran anar al Montsant
fent-vos servir de somera

(Girls of Gratallops, / do not marry in La Morera, / for they will send you to the Montsant / and use you as she-asses)

The Carthusian monastery of Scala Dei falls within the municipal district of La Morera, as does La Conreria. This tiny hamlet grew up around the administrative buildings that the Carthusians had built just over one kilometre away from the monastery. In this way they were left undisturbed by the hubbub caused by the management of their properties and the collection of *delme*s and other

taxes. Following the rivulet of Scala Dei downstream, to the left and on top of a slate ridge, the Carthusians founded La Vilella Alta. The village stands on a steep slope, as is only to be expected in this region. Nevertheless, from the top of its streets, the spectacle of balconies, eaves and roofs melding into the horizon is truly captivating. As we leave the village along the road leading to the hermitage of La Consolació, we contemplate a truly superb view: the village stretched out following the sinuous slope of the mountain, framed by the magnificent Montsant.

Further downstream, where the Scala Dei rivulet joins the Montsant river, stands La Vilella Baixa. In this case too, the village is a genuine lesson in stage design, beginning with the stone bridge whose three arches leap over the two rivers to reach the bottom end of the village and connect the four beds. Clinging to the almost precipitous sides of these mountains, the houses of La Vilella Baixa span incredible slopes: two or three floors on the street side may become six or seven on the gully side. And in the village they seem to huddle together in order not to slip down the mountainside. The streets are so narrow that one is called "*carrer que no passa*" (impassable street). By closing both ends with lock and key, the villagers transformed La Vilella Baixa into a fortress that sheltered them from the disasters of the French and Carlist wars.

By following the river Montsant we come to El Lloar, halfway up the slope of the Tossal del Guixar in the Serra de la Figuera. As we stroll along its streets, we suddenly come across a wide balcony that offers one of the best views of this sector of the Priorat: in the valley bottom the river follows its course, while before our eyes we contemplate half the Priorat in cinemascope, with vineyards that follow the slope down from Gratallops. The waters that flow by, lightly touching the slopes of El Lloar, shortly afterwards join those of the river Siurana, and as we follow it upstream we come to Bellmunt del Priorat, where the river and its gullies threateningly encircle the isthmus on which the village stands. Bellmunt maintains a constant balance, its houses aligned close together in the face of the void. Farmers would have dug the surrounding steep slopes with great care to make sure they did not slide down into the village. Furthermore, besides digging the mountain, in Bellmunt they also perforated it to extract the lead from the underground veins of galena, an activity that persisted until 1975. Now, thanks to the foresight and persistence of a man who had worked there from childhood, Joaquim Torné, the mines have become converted into a museum, a true mineral spectacle. These are the entrails of the Priorat.

As we follow the twists and turns of the Siurana, further upstream we pass beneath a crag groaning with the fantastic shapes of prickly pears, from which we descry Gratallops on top of a slate hill surrounded by horizons. The ren-

The sunset skies tinge the waters of the river Cortiella in Porrera.

aissance elements that adorn the façade of the Casa dels Frares denote the prestige that the town acquired over time. Today Gratallops is the official wine capital of the Priorat and it was this town that witnessed the beginning of the revolution of the new Priorats. The passions that set fire to the Scala Dei monastery are still very much alive. Near the town, on the crest of the wave of *llicorella*, a number of cypresses mark the path that leads to the hermitage of La Consolació. It is said that the view from here is the best of all, comparable to the peace and silence that the hermit who lives there savours day after day. All around we observe ancient landscapes, with century-old manor farmhouses and terraces that give off the aroma of slate. The cultivated slopes often feature low dry-stone walls. Clinging to the mountainside in permanent tension, they do all they can to mitigate such inhuman gradients. At the same time, visible in all the valleys are the terraces made possible by modern machinery: fine or broader lines that constitute a new kind of decor. Lines that, as in the rest of the region, raise doubts as to the future of this tiny country's landscape. Twists, turns, concavity and convexity characterise the area. Sinuosity presides over the forms of the traditional landscape. When new forms respect this tradition, harmony is ensured. On the other hand, rectilinear, angular layouts are at odds with it.

Further up the Siurana we come to Torroja. The light of better times begins to arouse a village formerly devastated by the exodus caused by the phylloxera plague. It is a delight still to be able to stroll along stone-paved streets and relive the days when the terraces and balconies were festooned with vines and brimming over with life. The organ built early in 1800 by Joan Pere Cavaller recalls the romantic French tastes that reached a Priorat that was far less secluded and isolated than one might imagine. The impressive seigniorial mansions of Cal Marimon and Cal Comte clearly denote the extent of the fortunes made from wine production in the past. In the same valley, further up from Torroja and on the other side of the river, stands Poboleda, stretched out along the slope of a slate ridge. During the harvest, if a load of grapes had fallen from the top of Carrer Major it would have rolled down by its own impetus to enter the church. For the fact is that in this region wine is regarded as sacred. And Poboleda's is no ordinary church, it is the cathedral of the Priorat. Like its counterparts elsewhere in the region, it is neoclassical in style and features one of those belfries so characteristic of the Priorat landscape. Beside the river, one of the Carthusian mills still stands, the escutcheon of the Order clearly visible on the wrought-iron work of the balcony.

In order to reach the last village, we must make the journey into the neighbouring valley of the river Cortiella. Porrera was built right on its bank; indeed, some of the houses have crossed to the other side over the elegant Pont Vell bridge, built in 1804. Many of the dwellings still maintain their traditional struc-

ture, typical of which are the rows of arches that ventilate the lofts. Below, the village is a maze of wine presses and cellars, while on the façades a host of sundials continue to tell the time. From its beloved hermitage of Sant Antoni, the village displays an irresistible charm; indeed, the towns and villages of the Priorat are of a sensational beauty still awaiting discovery. Seen from a distance, their morphological harmony is simply delicious. Belfries continue to dominate, rising above rooftops that would never dare even attempt to rival them. Pantiles prevail, providing an earthy tone that links the architecture closely to the landscape and the region.

Indeed, appreciation of this beauty is far from recent. In *Visions de Catalunya* (1936), Joan Santamaria wrote "These villages we have discovered on our way – Vilella, Torroja, Porrera, Pradell – are the most genuine examples of their kind we have found on our travels through Catalonia. They possess a secular solidity, a petrified crust, geometrical roundness, the appearance of pictures at an exhibition". Modern-day terraced houses have not reached them, nor will they ever. Neither has the chicken pox of stone – the current trend of pock-marking façades – caused the same havoc here as elsewhere, where villages have been transformed into fake Nativity scenes. Despite everything, the enormous difficulties these villages have had to face for so long have a positive side to them that must be wisely exploited. In more favourable economic circumstances, there would undoubtedly have been those who would mirror themselves in modern urban models or the forms of invented ruralness. There is still time for these villages to distinguish, assume responsibility for and preserve those architectural elements that endow them with identity. The formidable character that distinguishes them is at stake.

The Wheel of Time

New times have come to the Priorat: new, welcome times after so many centuries of hardship. When we read the pages of the Porrera manuscript, however, we intuitively perceive that in much of the Priorat time is circular. Here time is held prisoner by space. The influence and prestige of Scala Dei, the taste of *llicorella* and the role of vineyards and wine are all aspects that have been revived thanks to bold hands that have managed to put the region's engine in motion once again. The author of the *Tractat d'agricultura*, imbued with the spirit of the Enlightenment, firmly believed in agriculture's fundamental role in the country's progress. "The peasant and the merchant", he says, "are the two pillars that support the weight of the machine", while the remaining social groups "play their part in the drama". It is undoubtedly the vineyard, wine and its marketing that have once again rescued these valleys from the destitution caused by a mere insect. As Josep Pla comments, the main event in the history of the Priorat was neither the Reonquest, nor the wars of Joan II, of the Habsburgs, of the Bourbons, of the Carlists or the one that confronted fascists and republicans. The truly fundamental event was the destruction and poverty that ensued from the phylloxera plague of the late nineteenth century. The present is merely the resurgence of what has invariably marked the identity of the Priorat. In each glass of wine, with its mixture of the flavours of *Carinyena*, *Garnatxa* and *Cabernet*, there is also a hint of this miracle. With each swallow we savour an elixir of life with the complex, mature aftertaste left by the extraordinary personality of these lands.

BIBLIOGRAPHY

ALBENTOSA, Luís M., "Proceso de desertización y desorganización social en una comarca agraria regresiva: El Priorat", in *Tarraco, Cuadernos de Geografía*, vol. 2, 1981, pp. 127-166.

ANGUERA, Pere; ARAGONÉS I VIRGILI, M., *El Priorat de la Cartoixa d'Scala Dei*. Santes Creus, Fundació Roger de Belfort, 1985.

Catastro vitícola y vinícola. Denominación de Origen Priorato. Ministerio de Agricultura Instituto Nacional de Denominaciones de Origen, 1975.

CIURANA, Jaume, *Els vins de Catalunya*. Generalitat de Catalunya, Departament d'Agricultura, Ramaderia i Pesca, Barcelona, 1980.

IGLÉSIES, Josep, "El Priorat", in *Geografia de Catalunya*, vol. III, chap. VII, Editorial Aedos, Barcelona, 1961.

JUNCOSA, Isabel, *Tractat d'agricultura. Manuscrit anòmim de Porrera segle XVIII*. Centre d'Estudis Comarcal Josep Iglésies, Reus, 1998.

PLA, Josep; Català Roca, Francesc, *Guia de Catalunya*. Edicions Destino, Barcelona, 1971.

SANTAMARIA, Joan, *Visions de Catalunya*. Edicions Mediterrània, 1936.

NOTES

1. When God caused the flood to punish mankind for his sins, the waters rose 30 spans above the highest mountain in the world. And as according to the Scriptures the waters remained there for 115 days, the earth became detached from the mountains and sank down to the bottom. That earth had its own substances, as the grapevine has its own sap.

2. Of those 3 kinds of mountains, the ones of best quality are those of *llecorell*, the origin of the word being *llago*, which means taste, so that its fruits taste differently from the rest. This is why the same quality grapes grown on mountains of *llecorell* produces a tastier wine, just as the waters that bathe slate gullies taste differently from those that bathe those of limestone or *soldó*. The Priorat of the Carthusian monastery of Scala Dei, of which I am a scion, consists of 6 villages and the monastery lands, and the 6 villages stand on slate mountains, although there are also limestone and *soldó* mountains, but only a few.

Modern times have endowed the Priorat with new plantations and new landscapes.

TONI ORENSANZ

Priorat: the Reinvention of a Country

In 1992 the last cooperage of the Priorat closed. After a lifetime among adzes and carpenter's braces, Francesc Guiamet, the cooper of Gratallops, finally retired. And he did so in the firm belief that all was lost, that in the Priorat there was no other alternative but to gather up one's belongings and flee. Practically everyone agreed with him. The fact that he had retired passed by almost unnoticed.

Let us make a short leap forward in time to the year 2002. While browsing through *The New York Times* a journalist comes across an article on Spanish wine. The New Yorkers' number-one newspaper extols the virtues of some of the wines from the Priorat. The most surprising aspect of all, though, is that a box in the article announces the fact that two of the *comarca*'s winemakers actually form a loving couple. Truly astonishing: a piece of local gossip published in the press of the great metropolis, at the centre of the world on the other side of the Atlantic.

A mere ten years had passed between one news item and the other. In just over a decade, the Priorat and its people had emerged from an existence immersed in a spirit of secular defeat to become news in the society columns of the New York press. Wine that was only too often sold off cheap in carafes had given way to a wine solemnly uncorked in the best restaurants of New York, Paris and London. What had happened in the meantime? Had things changed so much? Had a *new* Priorat been born?

There are those who boldly speak of an economic miracle. And they may not be entirely wrong. At the beginning of the 1990s a total of only ten private wineries (if we overlook the cooperatives) belonged to the *Denominació d'Origen Priorat*. And yet by the dawn of the twenty-first century the number had risen to fifty-odd. And included in this number are genuine winemaking empires such as Osborne, Pinord, Codorniu, Torres, Freixenet and Castell de Peralada, singer-songwriters famous over half the world like Lluís Llach and Joan Manuel Serrat, French wineries with actor Gerard Départdieu as their flagship, a few for-

mer Spanish government ministers and an almost endless list of romantics and/or dealers in the liquid gold.

Militants of Scepticism

But as much as or more than in the sphere of economics, what is happening in the Priorat is a social renaissance, a kind of catharsis – a slow one, needless to say – that is transforming entire communities of militant sceptics into people who now have a degree of hope for the future and, more important still, for the present. Thanks to its wines, the Priorat now believes in something. There are young people who, for the first time in one hundred years, are returning to the country in response to a peasant-farming vocation. There are schools that, for the first time in one hundred years, have a growing intake of pupils. There are painters who have exchanged their brushes for the hoe. Sparkling new wineries are opening in villages where nothing had opened since who knows when. Rural tourism that follows the wine route is gradually beginning to make its presence felt. Hotel accommodation and restaurants are making their debut. In bars and cafés, talk is once again heard of the price of *Garnatxa* and *Carinyena*. And most important of all: the *Prioratins* are recovering belief in themselves after a century of economic recession that began with the fateful outbreak of the phylloxera plague.

So you see, the most prestigious of wines comes not from Beverly Hills but from the Priorat. The nine municipalities that comprise the *Denominació d'Origen Qualificada (D.O.Q.) Priorat* have a total population of just over two thousand. I'll repeat that in case the reader thinks it is a printing error: just over two thousand souls shared out among nine municipalities.

For the fact is that in the Priorat, despite the renaissance I mentioned above, everyday life continues at its characteristically slow pace. The last of the town criers, Juanito, cornet in hand, still announces from the main square in El Lloar that soon somebody will come to read the electricity meters. In La Vilella Alta, the grocery store does enough business by opening only two days a week. Most of the town and village halls open sporadically, a few hours per week. The tortuous streets continue to be practically impassable and began to be paved only a few years ago. Street vendors are indispensable practically everywhere. The fishmonger announces his presence by sounding the horn of his van.

And the austere landscape has remained almost untouched, without a single smoke-belching factory, and most of the fields were abandoned to their fate until history decided to change its course.

Two Priorats stand at the threshold of the twenty-first century, although I could speak of many more, such is the diversity of the Mediterranean. The Priorat that is undergoing rebirth and looks towards the future as a point of reference for quality wines and the Priorat that heroically weathered the phylloxera storm, galloping depopulation and the seven plagues of Egypt. And the two Priorats are inseparable from each other, they need each other in order not to lose the impulse of their own private leap forward. The fact that one of the great world wine revolutions – albeit an incipient one – of the late twentieth century took place on forbiddingly poor soil is by no means a chance occurrence. Moreover, this circumstance endows it with human merit and social significance it would otherwise have lacked had the revolution occurred, for example, in sun-drenched California with its celluloid and spangles. The revolution was possible only in a land that had to be reinvented.

Of the Splendour of the Past

Neither the rebirth nor anything else that the Priorat has become today can be understood unless we retrace our steps back to the phylloxera plague. *Phylloxera vaxtratis*, an insect that feeds on the sap of vine roots, hit Porrera in 1893. In the space of only a few years, before the century had time to reach its close, not a single vine was left in the Priorat. An insignificant-looking though devastating grub put paid in no time at all to a wine that already by that time had acquired international prestige. Indeed, it was precisely at that fateful moment that its prestige had reached its zenith, as the seigniorial façades from the second half of the nineteenth century in Porrera or on the main street of Poboleda proudly proclaim.

In all the towns and villages of the Priorat there are buildings that at the end of the nineteenth century witnessed how time ground to a halt. Poboleda has a church of cathedral-like proportions that invites us to journey back to a time of greater

splendour, even absolute splendour. If you have the opportunity to visit Cal Pellicer or Cal Amoròs in Porrera, you will soon see that the Priorat was a rich land or, to put this in another way, that in the Priorat, like everywhere else, there were rich landowners who were suddenly plunged into ruin, bringing everyone else down with them. Cal Comte, in Torroja, provides us with the perfect metaphor: sumptuous murals from the period, with their bright blues and yellows, pierced by the blackened chimney shaft of a wood-burning stove.

In 1893, there were 17,000 hectares of vineyards in the Priorat. Practically not one single vine was saved and, worst of all, the Priorat proved incapable of recovering from the disaster. The vineyards that had provided the people with their livelihood became the bearers of death and desolation. Emigration was a relentless phenomenon that lasted an entire century. While other wine-growing areas in Europe managed to overcome the crisis, no resurgence took place in the Priorat. "It was then that the exodus from the country to the city began. Towns and villages that had once been cheerful and prosperous became depressed and neglected to the point that in some more houses than people remained", we learn from an article published in the Catalan journal *Esplai* in 1934.

The grub was not content just to suck the sap from the vine roots. The press of the 1920s spoke of fatalism, of psychological and moral crises, of collective apathy and impotence. The periodical *Montsant* described the situation thus in 1909: "Today, except for the occasional oasis planted with vines, all we see is a great carpet of bindweeds... Nothing remains of the land we call the Priorat, only the skeleton and the name". Resignation everywhere and lasting, long-lasting.

From Anaemia to Rebirth

The slow though progressive decline lasted a long time, too long. The Priorat was still suffering from anaemia in the 1980s, the era of Ronald Reagan, Felipe González and the fax. Of the *comarca*'s 17,000 hectares of vineyards in the nineteenth century only 800 remained (and there is no nought missing) in 1990, when the resurgence was just beginning to germinate. Everyone seemed to ignore the Priorat. Everyone except a handful of wine enthusiasts who, in the 1980s, began to purchase a few terraces and, in a relatively short time, had won the acknowledgement of international critics. This marked the incipient Priorat boom. These enthusiasts have been called by many names (the magnificent four, the pioneers, the Robinson Crusoes of the new Priorat), but their real names are René Barbier, Carles Pastrana, Josep Lluís Pérez, Álvaro Palacios, Daphne Glorian and others who, for whatever reason *(I am myself and my circumstances)* are absent from the list of wine growers who sport a kind of mythical halo.

The ground floors of Priorat houses are repositories for wines and memories, like those of the last Gratallops cooper.

Since then, since they marketed their first wines in 1982, nothing has been the same. We have to admit this. The specialised press has been lavish with its praise. Every year *The Wine Advocate* and Robert Parker, the great American wine guru of the end of last century, place one *Priorat* or another among the best in the world. Auctions at Christie's – on Park Avenue, the most fashionable international thoroughfare – from Álvaro Palacios's *L'Ermita* alongside other crown jewels of world oenology. Francis Ford Coppola loading several crates of *Priorat* onto his private jet at Barcelona airport. Ministers and ex-ministers of all political colours declaring their passion for Priorat red wines. Magazine front covers. Rocketing prices. Exports to half the world. The market at its feet. Reverential praise from critics and *sommeliers*. A veritable cornucopia had come to a *comarca* where at that time the gross per capita income stood at over twenty points below the Catalan average.

Begin the Beguine

Let nobody imagine, however, that the Priorat wine revolution started from nothing, that everything was still to be done as if a potential wine grower had decided to plant a vine on one of New Zealand's vast plains. Far from it. What had to be done in the Priorat was reinvent, go back to the beginning, rethink, refound and build again, begin the Beguine. In this respect, highly clarifying if not clairvoyant opinions had been previously expressed. In the 1940s the journalist Ramon Aliberch, in his book entitled *Monumentos y maravillas de Cataluña*, had things like the following to say: "...the wine of the Priorat is not marketed with sufficient cunning, we need someone who really values a diamond like Priorat wine". Another essential quote, by now almost a classic, dates from 1979 and was written by the visionary Jaume Siurana (a true wine connoisseur and founder of the Institut Català de la Vinya i el Vi de Catalunya) in his book *Els vins de Catalunya*. He said the following: "It is in the wines of the Priorat that we have the rough diamond that duly cut, polished and dressed may provide us with the most brilliant precious stone of all full-bodied reds".

What nobody could have predicted, however, in the late seventies of jogging and John Travolta, is that even Jaume Siurana had fallen short of the mark: the diamond, suitably cut, polished and dressed, as he says, would become not only one of Spain's most excellent wines but a point of international reference. Nobody had yet intuited that twenty years later the Priorat would lead the wine revolution of Catalonia and convey its courage to other Catalan designations of origin. But we are not speaking only of Catalan wines: the Priorat has become a model to be emulated when it comes to making *vins d'autor*. There are those who contend that the Priorat's was the second greatest Spanish wine revolution after the reinvention of the Ribera del Duero.

And thus, late in 2000, the Priorat became the second most important *D.O.Q.* after La Rioja, confirming through its regulations what I said earlier, that the Priorat revolution was much more than just a vinicultural one. For example, the *D.O.Q.* stipulates that 100% of the bottled produce must be made in the place of origin, that is, in the nine municipalities. It is strictly forbidden to gather grapes from the Priorat and transform them into wine 50 or 500 kilometres away. All profits must be reinvested in this long-suffering land, that is the law. The wineries must be built, stone by stone, in these municipalities. And thanks to this and to the market demands, the Priorat now bottles its entire produce.

Titanic Resistance

It would be unjust to attribute this revolution to the new generation of winegrowers, however. The great wines of the Priorat would not exist were it not for the old vineyards clinging to the *llicorella* slopes from which the raw material emerges, the sparse grapes that a number of persevering farmers have continued to cultivate come rain come shine. And they have done so on gradients so steep that neither tractors nor any other kind of agricultural machinery could possibly cope with them. They are poor, bare slopes that, in some cases, must be harvested by people harnessed like mountain climbers, otherwise they would roll like pebbles down into the plain. The Priorat is a land of mules and donkeys, which some winegrowers, faithful to tradition, continue to have as indispensable partners as they work their plots. And all this to squeeze the soil dry and obtain just over a kilo of grapes per vine, that is, when nature is at its most bountiful. Like someone who sieves tons of mud from the bottom of a river to obtain a gram of gold.

I have heard a relation of mine tell time after time how one day he was involved in a heated argument with a winegrower from the Penedès, Catalonia's vinicultural region par excellence, the land of the celebrated *cava*, who refused to believe that a Priorat vine yields only about a kilo of grapes. Such was his incredulity that, convinced that my relative was maliciously pulling his leg, he ended up in a fury. In all fairness to the man, however, it is estimated that a vine in the rich and not so remote Penedès yields up to 10 kilos. At that time, little would he have imagined that both major and small producers from the Penedès

At the end of winter, the blossoming almond trees adorn the landscapes and vineyards of the Priorat with their fragile elegance.

would eventually move to the Priorat in the pursuit of less industrialised harvests and wines.

There are *Priorati* farmers, true to tradition with a capital "T", who have had to wait until retirement age, even their eighties, to see with their own eyes how the old *Garnatxa* and *Carinyena* vines for which nobody would have given a cent became profitable overnight, as if by magic. Valued, respected and even what one might describe as part of mankind's heritage. At the height of the *febre d'or* ("gold rush") and in exceptional cases, the price of a kilo of grapes has risen by almost ten times in the space of a few years (from 0.60 to 6 euros). That the winegrowers have not thrown in the towel is another of the miracles of this land, where the production of good wine is not only a highly self-sacrificing but also a very expensive task. There are estates whose market value has tripled and the total acreage of vineyards has practically doubled since the mid-1990s.

"Allegro ma non Troppo"

For some, therefore, success has come in their seventies. It is never too late, one is never too old, although now it is necessary to follow the instructions of oenologists of the wines of the new era to the letter, oenologists for the most part young and trained either at the oenology school in Falset or at the nearby Universitat Rovira i Virgili in Tarragona. At some time or another, either as teachers, students or both, today's oenologists have attended these institutions eventually to re-perform the Priorat symphony *allegro ma non troppo*. At harvest time, it is far from unusual to find students from all over the world serving their apprenticeship at the Priorat wineries.

Alongside the newcomers, the traditional wineries have made great efforts to adapt. Whereas formerly they sold their produce straight from the cask, they now market it in bottles. Only a few years ago, they sold wine from the basements of their own homes; now there are those who export it to distant, very distant, lands. A revealing example is the case of Gratallops, a village of just over 200 inhabitants. For twenty years there was only one family winery in the village. Now there are fourteen more.

In some instances, the traditional winegrowers have joined major companies. The vinicultural Priorat, therefore, is no longer composed of those responsible for the resurgence. Talk is heard of different waves of wine. And the protagonists of these successive waves include experiences that over and above their vinicultural and oenological interest, reveal that in the trivialities of everyday life, in general outlooks, the Priorat is also changing.

If depopulation was one of the scourges of *Priorati* towns and villages throughout the twentieth century, there are those who now, thanks to the new wines, are returning to the houses of their forebears after their parents or grandparents had packed their suitcases to move to Barcelona. Although some have not come back to stay, they enthusiastically engage in refurbishing the family home in a Priorat that now enjoys not only prestige but also a certain glamour. Today, saying that you come from the Priorat impresses people. And although it may seem incredible, something has been gained here too. Years ago, everybody in Catalonia knew that the Priorat produced wines. Now everybody, even on the other side of the globe, knows that the Priorat produces exceptional wines.

But not everyone who makes wine in the Priorat have come from far away, as some people believe. There are those that have, certainly, but there are others who have started from scratch, embarked on the adventure of planting and replanting and, in passing, contribute to the resurgence of towns and villages in which they were born. In the Priorat, now that we are at the beginning of the twenty-first century, who have decided to take the risk. What has changed? Why didn't they do it before? Because before there were no expectations, not even a future. And if there is no future, why take risks?

A Non-Industrial Vocation

The fact is that although in the Priorat the great Catalan, Spanish and French powers in the world of wine have set up shop in the Priorat, the typical local winery is small and non-industrial. Even the leading firms seek a touch of distinction for their brand name in the Priorat, where they make some of their most esteemed, most elegant wines. The annual output of some of the smaller wineries is only five thousand prized bottles. Everything seems to indicate – although only the future can confirm this – that current trends favour small winegrowers and low production, the wines of great personality fruit of the hillsides and terraces that in themselves are a gift from history, tradition, the landscape and nature. The perfect balance between revival and conservation, between modernity and tradition.

There are wine cellars where it seems impossible that such small space provides room for casks containing wine that critics and connoisseurs from all over the world have extolled. Such is the Priorat of recent years: every five minutes, in the most unlikely corners, a wine cellar is born for all to see.

Many have sought to emulate the models of Burgundy or Saint-Emilion in their endeavour to ensure that the Priorat becomes consolidated as one of the world's classical wine-growing regions. They forecast that the number of small producers may progressively increase over the coming decades in this area, although its landscape is more Sicilian than French. This is a land of vineyards interspersed with fig trees that seem to have emerged from nowhere, with silvery olive trees as twisted as the paths that lead to them, with prodigious dry-stone walls and rural cottages of almost Carthusian sobriety.

Together with Gratallops, Porrera is one of the villages where the rebirth is most noticeable. The fact that one of Catalonia's most internationally famous singer-songwriters, Lluís Llach, has settled here permanently is a key factor. And the fact that, furthermore, he has also entered the wine business has also contributed to the phenomenon. At harvest time in Porrera, there are growers who go to the village square with only two or three basketfuls of grape clusters. It is almost possible to count the grapes one by one. This is the morning or the afternoon harvest, there is no more, only what the day brings, the scarce raw material of a wine that, needless to say, is far from cheap and not everyone is able to appreciate.

Schools Are Becoming too Small

Thanks to the new era in the Priorat, Porrera – with its 500-odd inhabitants – has acquired a vigour that would have been unimaginable only a few years ago, when every day a throng of people set off from the village to work elsewhere. Now the tables have partially turned: each morning fifty or so workers set off and another fifty or so arrive. Furthermore, there are now children in Porrera, I mean that there are now more little boys and girls than a few years ago. The number of pupils at the village school has jumped from twenty in the mid-1990s to over forty at certain times. And in small villages this means new life. In the streets of Porrera children are seen and heard playing again and the school has had to be enlarged. Not so long ago this would have been unthinkable.

In the streets of La Vilella Alta I also find children. Their names are Catriona, Isabel, Lucía and Étienne. They are the sons and daughters of English, French and Spanish parents who have fallen in love with the Priorat and have their weekend or holiday homes in streets impossible to ride up on a bicycle. This now happens in the Priorat: a bicycle might be a useless piece of junk for ten-year-olds, unless they are determined to win the Tour de France one day. Foreigners who come, fired by curiosity, to discover the land where wine is made end up being seduced by its other charms. And this is not surprising. The misfortunes of an entire century have immunised the Priorat from certain tokens of progress. To begin with, there are no traffic lights, not a single one. And this is not the fruit of nostalgia for the past or blind loyalty to tradition. There are no traffic lights because they have always been and continue to be unnecessary.

Paradoxically, though, the economic paralysis of a century has today become, to put it in economic terms, one of the great added values of the *comarca* and, at the same time, of its wines.

No great urban monstrosities have been built. There are practically no industries. There are no smoky factories. Many of the landscapes seem to have remained untouched since the beginning of time, even though new terraces are gradually encroaching on the terrain. The discovery that the exceptional Priorat wine is produced on equally or more exceptional land contributes to fostering its prestige. Wine has become a lure and the Priorat as begun to design not only its tourist but also its landscape and economic development models. Secular oblivion, isolation, what was formerly regarded as a major tragedy have now become an element of distinction, a luxury for the local inhabitants and visitors alike.

The Lure of Wine

Every corner has its surprises and picturesque touches. The picturesque quality of the Priorat, however, is not made of papier mâché, it is authentic. The little grocery stores of today still preserve something of their counterparts of yesteryear, which sold a little of everything. In the cafés, where PVC has still to be discovered, there are those who still smoke *caliquenyos*[1]. People still chat in the squares in the cool of summer evenings. The local who, with his head bowed, wishes you *adéu-siau* may have a collection of *vi ranci* older than the wheel or fire at home. There are corners that would be the envy of Provence, even though they have only half its flowers. If you are observant enough, you will see ploughed land on summits that not even Neil Armstrong would dare climb. There are those who still play skittles in the square. There are hermitages that have seen more ascetics than the Vatican. And the Montsant – a huge rocky massif that becomes tinged with blue and pink at sunset – majestically presides over the entire *comarca*.

It is becoming increasingly common for tourist agencies from the nearby coast to organise – or at least recommend – visits to the Priorat, the land of exclusive wines. Foreign tourists travel from Barcelona to the Priorat since they cannot imagine having been in Catalonia without having done so. Tourist initiatives organised locally reveal that the possibilities are endless, ranging from gastronomic holidays addressed to the American and Japanese markets to rural tourism in farmhouses that mirror those of Tuscany or Provence. In the space of only a few years, Gratallops has seen the growth of its restaurant business. The offer is ever more varied and guided by criteria of quality. Overall, though, there is still much to be done, wine has moved so quickly that it is hard to keep up.

Socially, therefore, wine has not only fostered the vinicultural sector; it has also become the driving force behind the new-found prosperity of towns and villages in which nobody knew what the development model should be, apart from the magic factory that regularly featured in their dreams. Now, by contrast, the twenty-first century has begun with the landscape establishing the guidelines and rules that must be followed when it comes to modernising cultivation of the land. It would be criminal to spoil in no time at all the natural landscape privileges, the historical heritage of wine, so laboriously conserved throughout lifetimes of penury and hardship. Moreover, social and political mobilisation backed by part of the vinicultural sector managed to halt a government plan to convert the *comarca* into a major wind-power producing centre. The Priorat alleged that the plan was incompatible with the project designed to foster the quality of the wine and the landscape that had been set in motion. The Priorat has begun to debate its development model while, in the meantime, the *comarca*'s main mountain range, the Serra del Montsant, has been declared a natural park. The debate has begun and time will tell.

Under Construction

Sometimes it seems that everything has begun from scratch, that every day a new business or other kind of initiative emerges. There are a thousand and one projects: more cellars, wine museums, information centres, all geared towards the wine culture. The Priorat is a land under construction or, if you prefer, under reconstruction. The ruins of the monastery that gave the Priorat its name, which are gradually being re-consolidated, constitute, as one would expect, one of the major tourist attractions. It is from here, the first Carthusian monastery to be built on the Peninsula, that cultivation of vineyards is fostered. Even the lead mines of Bellmunt, which were closed in the 1970s after centuries of activity, have been reopened and transformed into an underground museum. Going down into these galleries affords one the unique opportunity to contemplate the bowels of the earth that produces Priorat wine. An excellent way to discover how the mines were exploited that, during the worst years for the peasant farmers, contributed to mitigating the crisis, hunger and impotence.

When you are inside the old galleries of the mine, you are reminded once again that nothing in the Priorat has ever been easy. Nor will it be. Traditionally speaking, this has been a land of Carthusians and hermits who, in some cases, still live in hermitages accompanied only by God and a rosary. The Priorat has always been a land halfway between the quest for spirituality and the struggle for survival. While the ascetics prayed, bandits with their blunderbusses were the lords of the Montsant. The *comarca* has been directly involved in all the peninsular wars and now the *Prioratins* are fighting their own private war against pessimism.

In 1835 the Carthusians of Scala Dei were expelled from their monastery by the decree issued by minister Mendizábal. For the *Prioratins* of the time, this marked the beginning of a kind of gold rush. They were convinced that the monastery was full of mountains of jewels and treasures accumulated over centuries of *delmes* and first fruits. For years they turned over stone after stone, to no avail. The gold was never found; everything had been a daydream. This is no fairy tale. The gold rush of 1835 comes to my mind when people talk of winegrowers who have come to the Priorat convinced that they would make easy money, only to discover that making wine on such craggy inhospitable terrain is far from a cushy job. Either you love and understand the Priorat or the land will put paid to you and your business. This is something in which it has had long experience.

NOTE

1. Thin traditional Catalan cigars.

On the lands comprising the *D.O.Q.*
Priorat wine symbolises practically everything:
work, happiness and hopes for the future.

ANNA FIGUERAS

The Priorat, Synonym of Wine

The Priorat region has been associated with the concept of wine for centuries. The sum of ideal soil, climate and relief and the toil of men and women who have been engaged in wine making following the techniques of a millennial tradition with the help, today, of technology adapted to the demands of quality has yielded a unique, exclusive product: the wine of the Priorat.

The first people who recognised and exploited the qualities of the land for vine cultivation and wine production were the Carthusian monks from Provence, who in 1194 settled in the foothills of the Montsant range. The Carthusians almost certainly chose that place by virtue of the fact that it offered the ideal conditions to meet the Order's requirements of solitude, contemplation and seclusion, while the presence of water guaranteed their subsistence. Even so, in places charged with symbolic value tradition creates its own version of events and history becomes legend.

Legend tells of how King Alfons "the Chaste" sent two of his knights to reconnoitre the land in search of the ideal place for the Carthusian Order to settle in Catalonia. When they reached the foothills of Montsant they were immediately struck by the extraordinary beauty of the area and they requested information about the place from a local shepherd. Besides informing them, the shepherd told them about a supernatural phenomenon that had been occurring for some time in the middle of the valley. On top of the highest pine a ladder appeared by which angels ascended to and descended from heaven. This having provided them with the perfect pretext, the knights duly informed the king, who offered those lands to the Order. The Carthusians built the altar for the church dedicated to Santa Maria on the site of the tree. History gave the monastery its name and generated an iconography with deep roots in the region.

Wine in the Time of the Carthusians

During the Middle Ages, wine became an essential part of the staple diet. For this reason, as the feudal lords gradually reclaimed land back from the Moors, they hastened to plant vineyards and cultivate other produce essential to self-sufficiency. Wine became at the same time a prestigious product for the wealthy classes and an indispensable element in Christian rites. Consequently, vine cultivation reached its zenith in those lands occupied by religious orders.

Nonetheless, very few written records have come down to us about the presence of vineyards or wine making during the early years of the monastery. Indeed, the earliest documentary evidence of these activities dates from 1218 and refers to the neighbouring Cistercian monastery of Bonrepòs, in the municipal district of La Morera, although an inventory from 1204 lists vineyards, casks and wine presses. This monastery became part of Scala Dei in the fifteenth century. Documents from 1263, when Scala Dei purchased the municipal district of Porrera, specify that along with the lands and rights the monks also bought all the wine casks and all the utensils needed for wine making, not only those of the village but also those of the mountains of Prades.

As the years went by, the Carthusian monastery of Scala Dei grew and became consolidated as a feudal estate and farms were built on strategic sites that would constitute the nuclei of the present-day villages of Gratallops, Poboleda, La Morera, Porrera, Torroja del Priorat and La Vilella Alta. Although we lack precise information in this regard, the documents of the period suggest that the amount of cultivated land progressively increased. Records of the payment of *delmes* – a tax levied by the prior, amounting to a tenth of the produce – reveal the variety of crops that were cultivated. For example, in 1425 Poboleda paid *delmes* on all kinds of cereals, legumes, olives, fodder, wicker, garlic, onions and wine. From this we learn that grapes were cultivated along with other produce of prime necessity.

The Carthusians fostered the expansion of agriculture and discovered the excellent qualities of area for wine making. They knew perfectly well which soils were the most suitable for each grape variety, conducted oenological studies and established trade strategies, as we discover from a manual from Scala Dei: "*Quant hagen de plantar vinya tingan compte en les plantes que se han de plantar en lo terme de casa –d'Scala Dei–, perquè no totes les plantes son bones, ni maduren per ser la terra freda; en particular plantes que se han d'emparralar. De la verema negra sols convé plantar de la garnatxa i mataró; lo parrell i comtes picapoll no convé plantar-ne, perquè no madura a bé que és bona verema i carrega molt, que esta planta sols convé en terra calenta*". Scala Dei produced wines of different kinds: red, white, *Garnatxa*, *vi moscat* or muscatel, *vi remoscat*, *vi grec* and *Malvesia*.

The Eighteenth Century: the Expansion of Vineyards and the Brandy Trade

While in the late fifteenth and much of the sixteenth centuries many European countries were enjoying economic prosperity, Catalonia was going through a period of political instability and demographic and economic stagnation. In this context, the Dutch brandy trade flourished thanks to the major demand for alcoholic beverages on the part of the wealthier English classes. The south of France was the main wine supplier to British and Dutch merchants until political events in Europe led to hostilities between these countries accompanied by the corresponding blockades. The situation changed radically and it was now Catalonia that came to control the international wine and brandy markets. The Catalan wine industry began to undergo a revival favoured by a period of peace and optimism and significant population growth, thanks to immigration above all from Provence.

It was as the outcome of the international demand for wine and brandy that the Priorat began to specialise in vine cultivation. Brandy was a solid exchange asset since, unlike wine, it provided stability, did not spoil and was the most popular strong drink among sailors as they made their long ocean crossings. Brandy was added to wine to increase its alcohol content and preserve it for longer periods. At the end of the eighteenth century a vine grower from Porrera recommended adding one part of brandy to four parts of wine. This practice led to savings in transport costs and the wine was distilled at the point of destination. Hence the fact that early in the century many towns and villages of the Priorat requested authorisation to set up brandy distilleries, known as *olles* or *fassines*, the first of which were established in Poboleda (1710), La Morera de Montsant (1743) and La Vilella Alta (1773).

The proximity between the Priorat and the city of Reus favoured the demand for wine in the area. Throughout the eighteenth century Reus was Catalonia's major brandy distilling centre and became one of the most important markets from which the big companies organised trading expeditions that sailed from Salou, Tarragona and, to a lesser extent, from Cambrils. Indeed, this is the origin of the popular expression "Reus, Paris and London". By way of example, the average of 68,609 consignments that sailed from the port of Salou between 1773 and 1775 rose to 98,520 between 1797 and 1798. The ports of destination were in northern Europe, particularly France, Holland and England, and in the American colonies.

Between 1731 and 1815 the landscape of the Priorat changed radically. Entire forests were cleared to make way for vineyards. Thus, for example, in 1752 vineyards occupied 47.7 % of cultivable land in Torroja, whereas by 1818 the figure had increased to 93.51 %. A further example of this transformation is Gratallops, where between 1804 and 1808 wine production accounted for almost 70 % of the agrarian income. As the eighteenth century unfolded, the region accumulated large amounts of capital and great fortunes were made, as we learn from a trade report dated 1796: "The people of the Priorat are accustomed to selling their wines at 12, 13, 14, 15, 16 and 17 pounds, with which they are well-provided and want for absolutely nothing". During this period, Scala Dei came to enjoy the highest income of all the monasteries in the entire diocese of Tarragona.

With the rise in their standard of living, the towns and villages of the Priorat attempted to shake off the burden of feudalism, a system which though it had become an anachronism still persisted. Poboleda, Porrera and La Morera filed a string of lawsuits against the Scala Dei estate. In 1764, when the monastery proposed to introduce an excessively strict levying of the *delme*, the people of Porrera set fire to two pipes of brandy stored on the friars' premises (*casa dels frares*) in the village. Years later, the situation having remained unchanged, the people engaged in sabotage, which took the form of extracting great quantities of wine from one of the presses in the *casa*.

In 1775 the Englishman Henry Swinburne, on his travels through Spain, wrote about the merited fame of the wines of the Priorat in a passage referring to the city of Reus, stating that the city's main products were wine and liqueurs and, of the wine, the best was from the mountains owned by the Carthusians, while that from the plain produced alcohol fit only for burning.

The Nineteenth Century: the Golden Age of the Wine Industry

During the nineteenth century grapes were Catalonia's main crop and, in the Priorat, vineyards continued to encroach on woods and wasteland. The abolition

Wine-tasting session at the Carthusian monastery of Scala Dei. Oenologists strive to identify the different personalities of the *D.O.Q. Priorat* wines.

of religious communities by the liberal regimes led to the end of the Priorat as a feudal district and the destruction of the monastery of Scala Dei. In 1820 the government abrogated the monastic communities, whose assets were put up for auction in 1821. In 1823, however, absolute monarchy was restored and the monks of Scala Dei were allowed to return and recover part of their losses. But finally, around 1835, a new change in the prevailing regime definitively abolished the religious orders. Scala Dei was abandoned and immediately sacked. Its properties were subsequently sold to merchants and landowners who did not hesitate to turn over much of the monastery land to cultivation.

1840 saw the beginning of a new period of economic prosperity for the Priorat. With the suppression of the *delmes* in 1841, a transition took place from what were still feudal forms of production to an incipient capitalist model, which meant that peasant farmers' income rose significantly. The amount of cultivated land quickly increased once again, since around 80% of the Scala Dei properties had hitherto remained unexploited. By way of example, on a farm in the municipal district of Porrera vineyards increased from 7 jornals[1] in 1800 to 145 in 1846. Lured by the profits to be made from the wine industry and the need for labour, immigrant families settled in the area, giving rise to a significant increase in the population.

In the Priorat enchanting traditional grocery stores still remain where it is possible to buy a little of everything.

Such prosperity temporarily fell early in the second half of the century due to the outbreak of a hitherto unknown disease, vine mildew, known locally as *malura vella* or *cendrosa*. The harvests of 1854 and 1855 dropped to a tenth of the normal and did not recover until after 1860, when the remedy was discovered. From that year onwards, sulphuration became an additional annual task and expenditure in the wine-producing process.

A few years later, the vineyards of Europe were ravaged by a new plague. In 1868 phylloxera hit France and spread like wildfire. Wine production in the neighbouring country plummeted to the extent that the French had no option but to import great amounts of wine from elsewhere in order to meet the home demand. Catalonia, whose vineyards had hitherto remained unaffected by the plague, was in an excellent position to supply the market. Consequently, the Catalan wine industry went through a period of economic euphoria, known as the *febre d'or* or gold rush.

Although the Priorat wines were of high quality and enjoyed great prestige, they were still sold exclusively in bulk through wholesalers. Merchants bought wine directly from the producers and bottled it in warehouses, from which it was dis-

patched to consumers. Priorat wines were most in demand for *coupage*, above all in combination with French wines that given the virtues of their *Prioratí* counterparts improved substantially in quality. For many decades the French firm of Viôlet bought huge quantities of wine from the region to make Byrrh, a tonic wine highly popular as an aperitif.

The world exhibitions held during the nineteenth century were attended by a significant number of *Prioratí* wine producers. For instance, at the 1878 Paris International Exhibition *Macabeu*, *Garnatxa*, muscatel, *Carinyena*, *Malvasia*, white, *ranci* and sweet wines were presented. Wine experts of the period extolled their strong alcohol content – of between 17 and 19 degrees –, the considerable amount of their extractive matter, their pleasant bouquet and their excellent manufacture. For their part, by attending exhibitions wine producers became familiar with the latest oenological studies and learnt of the most recent technological innovations. During the latter part of the century they began to use mechanical treaders, while wooden presses were replaced by iron ones and the pruning scissors gradually came to take over from the billhook.

The great demand for wine, high prices and demographic growth led to an increase in the extension of vineyards, despite the proximity of phylloxera. On all slopes, even the coastal ones, however precipitous and stony they may have been, woodland disappeared to make way for terraces on which the vine was cultivated. Between 1884 and 1886 wine fetched a high price, but in 1887 a recession began that later became exacerbated by the disastrous effects of phylloxera.

1893: The Phylloxera Plague

The recession in the wine-producing sector began in 1887 with the drastic drop in prices caused by an equally drastic drop in exports. On the one hand, France placed obstacles in the way of wine imports from Catalonia and, on the other, Spain lost its colonial markets. At the same time the French vineyards, by now repopulated practically in their entirety, became productive once more.

And to make matters even worse, the phylloxera plague hit the Priorat. Hopes that the mountains of Alforja, Puigcerver, La Teixeta and L'Argentera would act as a natural barrier were dashed when in June 1893 the insect appeared in the municipal district of Porrera. To be precise, on June 27 in La Solana de les Viudes. By the following year phylloxera had spread to La Vilella Alta and Gratallops, in 1895 it attacked El Lloà and in 1896 it spread to La Morera de Montsant. In the space of only a few years, phylloxera ravaged the prestigious vineyards of the Priorat and ruined the harvests in the entire region.

The replacement of autochthonous vines by American stocks – *Vitis rupestris* – immune to the plague was the only solution if the economy of the region was to recover, since the rugged relief of the Priorat made it impossible to exploit the lanc for other crops. The phylloxera disaster led to general disconcertion: it was feared that autochthonous vine varieties would become extinct and serious doubts were cast on both the potential longevity of the new stocks and the quality of the fruit. Although the *Prioratins* set to the task with enthusiasm, the replarting process was a slow and costly one. It was set in motion first on the most productive estates, nearest to the population nuclei, while the more remote slopes were left until later, while the steepest and the most difficult to reach were never cultivated again. Consequently the phylloxera plague reduced the extension of vineyards and changed the landscape.

The replanting process involved a reduction in the number of varieties that had hitherto been cultivated, to the extent that the already dominant *Garnatxa* and *Carinyena* came to prevail, particularly the latter, which adapted best to grafting onto American stocks. Varieties such as *Malvasia*, *Macabeu*, *Picapoll*, *Moscatell*, *Pansal*, *Tendra* and *Pedro Ximenes* were cultivated to a far lesser extent. The most widespread American variety was *Rupertris Lot* or *Riparia*. The new plantations required much more labour and a greater degree of specialisation than those that had thrived prior to the phylloxera plague, and the three-year gap before harvesting could resume further aggravated the already precarious economic situation of local vine growers. Indeed, had it not been for the institution of syndicates and rural savings banks they could hardly have met the expenditure involved in replanting. In 1905, one year after its foundation, the Sindicat Agrícola i Caixa Rural d'Estalvis i Préstec del Priorat negotiated a total of 1,479 loans.

Given the absence of improvement prospects in the wine-producing sector and the almost total lack of job opportunities, the Priorat underwent a process of depopulation. The first of the sector's recessions in 1887, years before phylloxera hit the region, led to an initial exodus that increased with the devastating effects of the plague. The respective censuses show that between 1887 and 1900 the population of the Priorat fell from 9,365 to 6,757.

The Twentieth Century: the Decline of the Wine-Producing Sector

During the first third of the twentieth century, the recession worsened considerably. Ruinous policies on the part of the Spanish government in combination with bad harvests caused by persistent drought brought the sector practically to its knees. Shortly before the end of World War I, in 1917, production costs, both the price of materials and utensils and agricultural labourers' wages, had in-

An old wine press at the Mas dels Frares in El Molar.
The Carthusian tradition continues.

creased by almost 100%. To make matters worse, sales prices had remained stable due to the huge surplus of wine that had flooded the markets. The outcome was that wine producers lost money with every harvest and for a number of years were forced to sell their produce below cost price. This imbalance between income and expenditure persisted during the following two decades. The lack of reasonable profits that would allow them to meet the costs of replanting and adapting vine cultivation to the capitalist system left wine producers defenceless against the prevailing hard times.

Furthermore, the French government passed a law forbidding the use of foreign wines for *coupage*. This practically put paid to exports, since *coupage* was the main end purpose of Spanish wines in general and those of the Priorat in particular. Moreover, the wines were adulterated by wholesalers and retailers alike. The outcome of all this was that the Priorat became the victim of a double fraud: adulteration on the one hand and, on the other, use of the name Priorat to sell wines that bore no resemblance to those produced on the region's slate soils, which consequently lost the prestige they had hitherto enjoyed. In this context, we read the following comment from 1923: "On any street in Barcelona, if you see a sign in big letters advertising 'Wines from the Priorat', enter the establishment and ask for Priorat wine, you will be served an abhorrent mixture nobody would regard as wine, least of all wine from the Priorat". Many of the establishments that dealt in wines would attempt to attract customers by displaying a cask containing wine presumably from the Priorat.

The Cooperative Movement

One of the initiatives set in motion to rise above the adverse circumstances was the setting up of cooperatives. Membership of agrarian syndicates allowed small-scale and medium-scale wine producers to organise themselves in an attempt to overcome the difficult situation. The cooperative movement allowed them to purchase products at reasonable prices, engage in more advantageous trade practices, modernise their production plants and, most important of all, solve the problem of the labour shortage, fruit of the successive waves of migration that had left the potential workforce of the Priorat below minimum.

For the people of the Priorat, the creation of syndicates was the fruit of titanic efforts, iron will and altruism at a time of severe economic recession. In most cases, members had to put up their private estates as guarantees for loans to construct buildings and purchase machinery. In Gratallops the Sindicat Priorat de Scala Dei was founded in 1917, followed by its Bellmunt counterpart that same year. Two years later, the Sindicat Agrícola del Priorat was set up in La Vilella Baixa. In La Vilella Alta a consumer cooperative was created in 1926, while the

Sindicat d'Agricultors was founded in 1933. In El Lloà, a group of farmers bought an old cellar in which they produced their first consignment of wine in 1930. In Porrera the Sindicat Agrícola was founded in 1932, while in Torroja the Sindicat Agrícola Centre del Priorat was set up in 1934. Organisation in syndicates required a change in mentality at a time when the sector needed to adopt new cultivation practices, assessment in the use of fertilisers, pesticides and weed-killers, and improved production, preservation and commercialisation processes.

The Protection of a Name

Although the recession in the wine-producing sector affected Catalonia as a whole, its effects were most bitterly felt in areas such as the Priorat, given the low productivity of its vineyards, low profitability due to the high harvesting costs, particularly in terms of labour, and the expenditure involved in transporting grapes or wine in a mountainous region lacking in adequate communications networks.

Even so, the *Prioratins* were perfectly aware of the excellent quality of their wines and the idea began to spread that by fostering their good name it might be possible to overcome the crisis. To this end, producers had to seriously consider the potential of their wines and cease to market them merely as the product of that year, for by doing so they placed themselves entirely at the mercy of unscrupulous dealers. Exploiting such potential involved introducing the concept of vintage wine and marketing it as such with all the guarantees this implied. This possibility was aired in a local publication in 1922: "Priorat wine enjoys great renown; Priorat is a name of repute; Priorat wine is of such superior quality, by virtue of its taste, proof grading, characteristic bouquet and consistency, that it does not spoil. The older it is, the better, and it is perfectly able to compete with the best vintages from elsewhere. Properly matured, bottled and labelled, this wine would be a source of great wealth, and yet we totally ignore this potential treasure. Our wines are sold to be mixed with and improve the low-quality produce of other regions, and yet we are paid the same price as if it, too, were just ordinary wine. This explains why the Priorat is in such a state of destitution".

In order to carry this project through, a brand name was needed that would protect and guarantee the provenance of Priorat wine, as in other wine-producing areas. The aim here was to recover the name of El Priorat so that it might be applied only to the wines from the municipalities that had belonged to the former administrative district controlled by the Carthusian monastery. Indeed, the international renown enjoyed by Priorat wines and the great demand for it during the mid-nineteenth century had led to the use and abuse of the name by dealers, who applied it to any strong, deeply-coloured wine produced in the south of Catalonia. On the initiative of one of the Torroja vineyard owners, in

The light of dusk floods the craggy Serra Major de Montsant with gold.

1927 a public call was made for the collaboration of local municipal councils and wine makers. The people of Porrera responded actively to the call by organising a sensitising campaign in the seven towns and villages that had formerly come under the jurisdiction of El Priorat d'Scala Dei.

The municipal councils agreed to claim the right to establish not only a historical nucleus by virtue of former dependence on the prior but also a geographical one based on oenological criteria. The movement did much to raise the morale of Priorat wine producers, who were prepared to go to any lengths to ensure that "our wines are the only ones with the right to be marketed under the genuine, invariable Priorat label. There are those who will oppose us, certainly, and we shall have to overcome strong resistance, but we have right on our side and we shall place our cause in the hands of the supreme powers of the State. And in the last instance, it is the experts who will be entrusted with the task of defining precise limits". A commission was set up and in 1928 a formal petition specifying the aims of the initiative was submitted to the Spanish Ministry of Labour.

In general, the idea was well received by the main agricultural associations of the area although, as one might expect, it generated a certain degree of controversy. A controversy that overlapped with the one caused by disputes over the territorial division of Catalonia that the Generalitat proposed in 1931 and further aggravated by the ambience of social and political unrest that characterised the years of the Republic. In December 1931, an assembly of delegates and mayors took place in Falset, at which it was agreed that the administrative and oenological limits did not coincide and that it was up to the experts to establish precise boundaries in both cases.

The *Estatut del Vi* (Wine Statute) promulgated in 1932 by the Ministry of Agriculture, which governed the establishment of the *Consells Reguladors*, recognised the Priorat as a vinicultural area to be protected. On September 5 1933 the order was published by which the *Consell Regulador de la Denominació d'Origen Priorat* was constituted, with its head office at the Estació Enològica de Reus, the director of which acted as president of the *Consell*. A deadline of thirty days was set for it to draw up its own set of regulations.

Due to a number of circumstances, it was not until January 1935 that negotiations were resumed and a new thirty-day deadline was set for the municipalities involved to present appeals. Many municipalities expressed interest in forming part and eventually, in April of that year, a project was approved that divided the wine-producing areas into two: one was the "Priorato Scala Dei", which comprised the seven municipalities that had formerly belonged to the Carthusians, while the other, of a more commercial nature, which was called simply "Priora-

to". The determination on the part of dealers to include Gandesa and Corbera in the designation of origin met with opposition from the towns and villages of the Priorat, as a result of which the project failed and no further meetings took place until May 1936. The outbreak of the Civil War in July that year brought the process towards safeguarding the quality of Priorat wine to a standstill.

In 1947, by which time a minimum of stability had returned to the country, the heads of the *Gremi Oficial de Criadors-Exportadors de Vins de Reus i Tarragona* (Official Guild of Reus and Tarragona Wine Producers and Exporters) resumed negotiations to create a designation of origin, but once again no consensus was reached as to limits. Finally, in 1953 on the initiative of the local cooperatives, discussions took place that led to the official approval of the *Denominació d'Origen Tarragona*, which had acted as an umbrella designation for the municipalities in discord. Former discrepancies having been smoothed over, on July 23 1954 the *Consell Regulador de la Denominació d'Origen Priorat*, with its head office at the Estació Enològica de Reus, was at last approved.

Wines had finally attained the necessary juridical framework by which to protect the name and the quality of the Priorat, as well as improved commercialisation and the opportunity to prevent manipulation and fraud. Furthermore, the existence of an official *Denominació d'Origen* created new prospects for the area, which had hitherto been severely chastised by depopulation and by the general recession affecting the rural world. With a view to attaining effective administrative organisation and ensuring that the *Consell Regulador* become an efficient instrument for controlling quality and overseeing the interests of the region, the urgent need was expressed to establish a register of wines, wineries and export practices. The *Consell* sought to greatly foster the development of the sector, recover the prestige of Priorat wines and participate in trade fairs. It was even proposed that a wine contest be organised. The *Denominació d'Origen*, however, proved incapable of meeting expectations and the sector did not recover from the recession.

At the end of the 1970s the sector was still in decline, and the situation was further aggravated by constant emigration from the land, the ageing of the population, low production and technical difficulties involved in harvesting. The number of people belonging to cooperatives fell, installations had become obsolete, opportunities for investment were practically nil and some vinicultural concerns were practically forced to close due to the lack of available labour.

The New Times

The situation seemed to have reached a point of no return when in the early 1980s a group of wine connoisseurs convinced of the potential of the Priorat racically changed the prospects of the area, although they were not overly aware of the effects this would produce. In the space of little under a decade, the size of vineyards, wine-production figures and the number of cellars increased astonishingly. Nobody, not even the most optimistic, could have foreseen such an about-turn in circumstances.

The *Consell Regulador de la Denominació d'Origen* had only a few years at its disposal to adapt to the new situation. In 1999 it transferred its head office from the Estació Enològica de Reus to the very heart of the Priorat, which made legal formalities easier to conduct and led to greater commitment on the part of the sector. The next major step was recognition of the Priorat as a *Denominació d'Origen Qualificada* (a designation of origin at a higher level with a stricter set of rules), which led to new regulations being drawn up that emphasised the importance of the region, advocated technical innovations and established stringent wine protection measures in order to guarantee its quality.

The *D.O.Q. Priorat* has gained merited prestige that together with the international recognition of its wines, but above all the proven high oenological quality of the area, has attracted major concerns both from the vinicultural sector of Catalonia and from abroad, all eager not to miss the opportunity to produce top-class wines.

This resurgence is based primordially on exploitation of the oenological potential of the land with the application of state-of-the-art techniques of cultivation, wine-making and ageing and the orientation of production towards the international quality wine sector. The high regard in which Priorat wine is held has offset production costs.

The outcome of this process is the generation of greater profits that have begun to reverse the dramatic process of depopulation in the area. And re-investment of these profits has led to a progressive increase in the capacity to generate wealth. The refurbishment of old wineries and disused buildings, coupled with the construction of new plants, has improved the urban environment and fostered the development of other economic sectors.

The modification of the landscape resulting from the plantation of new vineyards that increase local prosperity must go hand-in-hand with endeavours to preserve a privileged natural environment. Rather than large-scale exploitation, the orographical and geological characteristics of the Priorat foment the production of wines closely linked to a specific physical milieu and meticulous individual endeavour, a phenomenon known locally as *vins de poble* or *vins de finca* ("farm-produced" wines).

The wine industry has generated an entire culture that attracts visitors and fosters other economic activities. Progress in the region that comes under the *Denominació d'Origen Qualificada Priorat* must therefore be compatible with conservation of the local natural and historical heritage as part of a process geared towards genuine sustainable development.

BIBLIOGRAPHY

ANDREU, Jordi, "Creixement demogràfic i transformacions econòmiques al Priorat (segles XVI-XIX)", in *Penell*, no. 3, Reus, 1989.
ANGUERA, Pere; ARAGONÈS, Manuel, *El Priorat de la Cartoixa d'Scala Dei*, Santes Creus, 1985.
CIURANA, Jaume, *Els vins de Catalunya*, Generalitat de Catalunya, Barcelona, 1980.
FIGUERAS, Anna; CALVO, Joaquim, *El Priorat, la vinya i el vi*, Carrutxa, Reus, 1996.
GORT, Ezequiel, *Història de la Cartoixa d'Scala Dei*, Fundació Roger de Belfort, Reus, 1998.
JUNCOSA, Isabel, *Tractat d'agricultura. Manuscrit anònim de Porrera. Segle XVIII*, Reus, 1998.

NOTE

1. *Jornal*: an approximate land measurement roughly equivalent to the area that may be ploughed in a day's work (tn).

XOÁN ELORDUY VIDAL

The Earth, the Vines and Wineries

Section Heas of the Estació de Viticultura i Enologia de Reus
Institut Català de la Vinya i el Vi

Although there were many ways in which I might have approached this article, I chose to focus on the evolution through time of a set of parameters – hectares, varieties, wineries and so on – that in my view eloquently reflect the development of the *D.O.Q. Priorat* over recent years. I shall therefore refrain from speaking about the wines themselves and their many virtues and different personalities, since this would be the subject for an essay of far wider scope.

The general view is that the virtues and qualities of the wines of the *D.O.Q. Priorat* must be discovered at first hand, not only by tasting the wines themselves but also travelling to the towns and villages that constitute the *Denominació d'Origen Qualificada*, visiting its wineries and talking to the local people. In this way, the wines of the *D.O.Q.* will surely come to join the ranks of our favourite products.

The Soil

"Los seps, per fer bon vi, los plantareu en terra que sie un poch cecativa y un poch freda, que en terra freda no.y maduren los raïms y si.és calenta solen.madurar masa presipitats"[1] (*Tractat d'Agricultura*, anonymous eighteenth-century manuscript from Porrera, published in 1998 by Isabel Juncosa Ginestà).

The soils of the *D.O.Q. Priorat* are stony, sandy and relatively unfertile due to their poverty in terms of organic matter. The metamorphic nature of the stony elements facilitates the breakage of slate in the direction of the layers of stratification, the outcome of which is the formation of flat *llicorella* (slate) stones that cover the surface of the soil. On the slopes, these flat slate stones contribute to diminishing the magnitude of erosion phenomena that would normally occur on such steep gradients.

Three horizons are distinguished in agricultural soil: the top stratum (Ap) resulting from agricultural activity and human action; a second stratum (B), consisting of compact matter unaffected by agricultural activity and a third horizon (C), corresponding to the mother rock, which may or may not be altered.

On a slope, where erosion is considerable and deposition or accumulation negligible, the soil is very shallow and the B horizon almost non-existent. On the other hand, in valleys and on plains the soils are deeper by virtue of the deposition and sedimentation of matter. In the Priorat, the *llicorella* soils are young, immature soils with few horizons, known as lithosols.

By way of an example, in his book *Los suelos cultivados de la Provincia de Tarragona* E. Cobertera presents the analysis results of two representative samples of *llicorella* soils:

Ap horizon	Porrera	Poboleda
Relief	Mountainous	Mountainous
Gradient	Steep	Steep
Height above sea-level	450 m	500 m
Profile	ApC	ApC
Mother rock	Slate	Slate
Edaphic group	Regosol-brown earth	Regosol-brown earth
Stony elements	36%	32%
Texture	Clay-like and slimy	Clay-like and slimy
Structure	Granular	Granular
Carbonates in CO_3Ca	1.7%	1.7%
PH	7.8	7.6
O.M.	1.5%	1.7%
Phosphorus active in P.	0.1 ppm	0.1 ppm

As the above table shows, the characteristics of the predominant soils in the *D.O.Q. Priorat* are substantially uniform. Variations in the organic matter (O.M.) content occur depending on the topography, O.M. being richest on the top third of the slopes, decreasing on the rest and then increasing again at the foot, where a certain degree of accumulation takes place.

According to the studies conducted by Montserrat Nadal, published under the title of *Els vins del Priorat*, two main groups of geological terrain may be defined in the region comprising the *Denominació d'Origen Qualificada Priorat*: *llicorella* soils and granite soils, with *llicorella* predominating. This type of terrain embraces the municipalities of La Vilella Baixa, La Vilella Alta, Gratallops, El Lloà, Torroja, Porrera and Poboleda. *Llicorella* soil evolved on the Palaeozoic schist of the Carboniferous period that covers the gently rounded hills characteristic of the landscape of these municipalities. Decomposed slate strata alternate with other siliceous material, occasionally with the presence of calcareous foundations.

The granitic soils, present to a far lesser degree, are the outcome of the decomposition of Precambrian granite rock and predominate in Bellmunt and towards Gratallops. Other types of terrain and materials also exist in the area, although their presence is merely nominal.

We learn from Montserrat Nadal that *llicorella* soil is characteristic of the terraced slopes of the Priorat. This type of soil consists of a mixture of elements produced by decomposition of the Carboniferous slate mother rock. The slates most common on the surface are more or less angular, flat fragments that vary in size. Deeper underground the particles are smaller: silt of a coarseness depending on the intensity of meteoric processes and clay, fruit of the total decomposition of the metamorphic slate.

The soil at the foot of the mountains lies near defiles and consists of matter accumulated beside rivers. Such soils are stony, containing sediment brought down by rivers from the mountain tops and often mixed with pebbles and slate stones. Therefore, and unlike in the *llicorella* soils, carbonated silt and clay may be present here.

Table 1 retraces the extent of vineyard plantation in recent years. Although the figures are far below the maximum extension reached in the past, growth has lately been so rapid that the *Consell Regulador* of the *D.O.Q. Priorat*, together with the local municipal councils, has set a major landscape and environment protection and sustainability programme in motion. The aim of the programme is to ensure that the activities of the sector are respectful towards both the natural and traditional landscapes, which involves limited earth movements, dry-stone walls, discreet building and so on.

The programme, which sets out to introduce rationality criteria, will be agreed upon by consensus with all the municipal councils of the *D.O.Q.*, since it is in the municipal sphere that the mechanisms exist to guarantee its correct application.

TABLE 1. SURFACE AREAS OF VINEYARDS COMPRISING THE D.O.Q.

Year	Hectares	Annual Δ
1998	878	—
1999	890	1.4
2000	942.27	5.9
2001	1,229.85	30.5
2002	1,430.82	16.3
2003	1,591.08	11.2

Source: Consell Regulador D.O.Q. Priorat. Drawn up by the author.

The Vines

"Y alguns seps que fan lo millor vi com les granaches y altres no.y produeyxen com a la terra temperada d'espèsies d'abre de tantes calitats, no.y.és en la mia vila y tot lo priorat d'Escala.Dey, n'i è conegut 56 espècies..."[2] (*Tractat d'Agricultura*, anonymous eighteenth-century manuscript from Porrera, published in 1998 by Isabel Juncosa Ginestà).

The major grape varieties cultivated in the *D.O.Q.* are the following:

GARNATXA NEGRA

A very vigorous, erect, highly generative variety. The grapes ripen late in quantities ranging from moderately to highly abundant, although their numbers decrease as the plant ages. Nonetheless, the older the vine, the better the quality of the grapes. This variety is reasonably drought-resistant, readily adapts to different types of soils and responds well to several pruning methods. On the negative side, it is vulnerable to mildew, botrytis and *brimat del raïm*. The *Garnatxa negra* grape yields a high-alcohol-content, garnet-coloured wine characterised by an aroma with hints of ripe red fruit and average to high acidity. This variety, particularly the grapes produced by old vines, is largely responsible for the complex personality of the *D.O.Q. Priorat* wines.

SAMSÓ (CARINYENA)

A highly productive erect variety whose grapes ripen between the mid and late season. Consequently its cultivation is inadvisable in late-ripening regions. Very drought-resistant and well adapted to poor soils, it is a variety highly vulnerable to oidium though resistant to botrytis and excoriosis.

Samsó grapes yield deep-coloured wines with astringent, occasionally bitter tannins. In the *D.O.Q. Priorat* adult *Samsó* vines cultivated on hillsides produce high-quality wines with the aroma of fruit and mild tannins, by virtue of their limited yield.

CABERNET SAUVIGNON

The grapes of this vigorous variety, originally from the Bordeaux region, mature between the mid-to-late season. The vine produces many ramifications and responds well to both long and short pruning, so long as no damage is done to the stock. Highly vulnerable to oidium, eutipiosis and Petri disease though only moderately vulnerable to botrytis. The best results are produced by vines planted on dry, acid, gravelish, exposed soils. The wines are balanced, aromatic and very stable, making them highly suitable for ageing. The tannins are intense and very elegant.

SYRAH

Since the long, fragile shoots of this variety easily snap in the wind, it must be close pruned and trained. Very sensitive to chlorosis and an acid soil hater. The harvesting period is short, the vines must not be allowed to over-produce nor the grapes to over-ripen. A variety sensitive to mites and botrytis though resistant to mildew, oidium and excoriosis.

This variety produces strong, deeply coloured, aromatic (violet, leather, licorice), full-bodied wines with pleasant tannins, highly suitable for ageing. It might be expedient in terms of broadening the range of *D.O.Q.* products to explore the possibility of making rosés exclusively from *Syrah* grapes.

MERLOT

An average to highly vigorous variety with a marked tendency to produce suckers; due to its semi-erect bearing, it needs to be trained. This fruitful species requires close pruning. While vulnerable to springtime frost and drought, to mildew and cicadelids, it is sensitive neither to oidium, flavescence nor to wood diseases.

From this variety a full-bodied wine is obtained rich in alcohol content and colour, of relatively low acidity, with smooth tannins and complex, elegant aromas. The young *Merlot* vines adapt well to the soil conditions of the *D.O.Q. Priorat*.

GARNATXA BLANCA

An erect, highly fruitful and vigorous plant, moderately productive yielding small to medium-sized grapes. Highly resistant to drought and well adapted to poor soils, it responds well to close pruning. Resistant to oidium and only slightly vulnerable to mildew and botrytis. It is less sensitive to brimat than its red counterpart.

The yellowish aromatic wines have high alcohol content, average to high acidity and tend to oxidise quickly. Although the *D.O.Q.* produces few whites, some wineries offer high-quality *Garnatxa Blanca* white wines. This is undoubtedly one of the local varieties with greatest oenological potential.

MACABEU

An erect, averagely to highly fruitful variety. It should not be planted either on cool, damp or on very dry soils. Quite sensitive to acari and oidium, it is very vulnerable to grey rot and bacterial necrosis. On the other hand, it is mildew-resistant.

This variety produces light wines characterised by almost flowery aromas, a slightly astringent taste and a correct balance between acidity and alcohol content.

PEDRO XIMENEZ

An erect, vigorous, productive variety whose grapes vary in size. Highly sensitive to botrytis and mildew and sensitive to oidium, dieback fungus and termites.

Pedro Ximenez yields low-acidity musts with high sugar content, making them suitable for ageing (natural sweet wines, etc…), during which process it preserves its characteristic aromas and flavours.

The total surface areas of each variety (in hectares planted over the last five years) has evolved as follows:

TABLE 2

	2004	2003	2002	2001	2000
Cabernet Sauvignon	180.50	186.62	154.28	120.84	71.64
Samsó	521.55	513.71	484.44	458.41	384.45
Garnatxa negra	615.21	608.42	549.89	464.64	313.20
Merlot	66.80	53.10	46.81	31.67	12.32
Syrah	97.22	90.97	69.37	53.92	23.14
Other reds	31.33	25.64	25.64	8.60	4.62
Garnatxa blanca	44.91	44.42	44.42	39.92	30.71
Macabeu	46.54	35.53	36.27	35.16	26.30
Pedro Ximenez	6.86	6.99	6.99	7.79	4.84
Other whites	22.24	11.98	11.91	8.90	7.28
Total var.	1,633.16	1,577.38	1,430.02	1,229.85	878.5

Source: Consell Regulador D.O.Q. Priorat. Drawn up by the author.

Expressed in percentages over the total number of hectares each season, the proportion between varieties is as follows:

TABLE 3

	2004	2003	2002	2001	2000
Cabernet Sauvignon	11.2	11.8	10.8	9.8	8.2
Samsó	31.9	32.6	33.9	37.3	43.8
Garnatxa negra	37.7	38.6	38.5	37.8	35.7
Merlot	4.1	3.4	3.3	2.6	1.4
Syrah	6.0	5.8	4.9	4.4	2.6
Other reds	1.9	1.6	1.8	0.7	0.5
Total var. reds	92.6	93.7	93.1	93.7	92.1
Garnatxa blanca	2.7	2.8	3.1	3.2	3.5
Macabeu	2.8	2.3	2.5	2.9	3.0
Pedro Ximénez	0.4	0.4	0.5	0.6	0.6
Other whites	1.4	0.8	0.8	0.7	0.8
Total var. whites	7.4	6.3	6.9	6.3	7.9
Total var.	100.0	100.0	100.0	100.0	100.0

Source: Consell Regulador D.O.Q. Priorat. Drawn up by the author.

In the case of the red varieties we observe a drop in the relative weight of *Samsó* (*Carinyena*) from 43.8 % in 2000 to 31.9 % in 2004. This reduction of 11.9 points is offset mainly by *Cabernet Sauvignon* (with an increase of 2.9 %), *Garnatxa Negra* (2 %) and *Syrah* (3.3 %).

As regards the white varieties, in a clear minority in relation to the total planted surface area (representing only 7.4 % of the total hectares in the *D.O.Q. Priorat*), *Garnatxa Blanca* presents a drop in relative weight offset by the increase in the other white varieties.

In absolute values, the total planted surface area has shown an increase over the last 5 years of 84 %, and the number of hectares of all varieties has remained stable (except for *Cabernet Sauvignon* between 2003 and 2004). *Garnatxa Negra* and *Samsó* (which account for 70 % of the total area in 2004) may be regarded as the mainstay of the rest of the red varieties on which winegrowing in the *D.O.Q. Priorat* is based.

In the case of the white varieties, it is more difficult to detect common denominators to define what is representative of the area.

The Winery

"Tindreu cuidado en limpiar la up y les portadores y totes les aines que an de tocar los raïms, que volen gran curiositat... Fareu piar bé la verema, no tant que no.y quede cab gra per trapitjà, que quan la brisa bull en aquesta forsa los desfà menos aquells que eren pansits. Al.cap de 8 dies que vos aureu deixat de posar raïms ho verema al up, lo trescolareu, y posareu lo vi en bótes. Sereu curiosos en tenir-les ben netes...".[3] (*Tractat d'Agricultura*, anonymous eighteenth-century manuscript from Porrera, published in 1998 by Isabel Juncosa Ginestà).

While the number of hectares has increased, so has the number of wine producers in the *D.O.Q.* This is significant for two reasons: firstly, because it denotes the fact that the active population devoted to viniculture is becoming younger and, secondly, because it indicates that the small to medium-sized model of vineyard exploitation continues to prevail.

TABLE 4. NUMBER OF WINEGROWERS IN THE D.O.Q. PRIORAT

Year	Number	Annual Δ
1998	425	
1999	367	–
2000	379	3.3
2001	554	46.2
2002	575	3.8
2003	600	4.3

Source: Consell Regulador D.O.Q. Priorat. Drawn up by the author.

The number of wineries in the *D.O.Q. Priorat* has also undergone a substantial increase (the following table shows wineries officially registered until late 2004)

TABLE 5. WINERIES OFFICIALLY REGISTERED IN THE D.O.Q. PRIORAT

Year	Number	Annual Δ
1998	23	–
1999	32	39.1
2000	32	0
2001	40	25
2002	43	7.5
2003	45	4.6
2004	51	13.3

Source: Consell Regulador D.O.Q. Priorat. Drawn up by the author.

An analysis of the development of the ratios in Table 6 reveals that while the number of hectares per winegrower increased by 26.6 % between 1998 and 2003, the ratio of growers per winery dropped by 8.6 % during the same period and the number of growers per winery dropped from 18.5 in 1998 to 13.3 in 2003. This represents a drop of 27.8 %. Although it might be risky to draw conclusions from this, it seems that the tendency exists for winegrowers to set up their own wineries. thereby completing the productive cycle.

TABLE 6

Years	Hectares/grower	Hectares/winery	Growers/winery
1998	2.1	38.7	18.5
1999	2.6	29.4	11.5
2000	2.3	27.5	11.8
2001	2.2	30.7	13.9
2002	2.5	33.3	13.4
2003	2.7	35.4	13.3

Source: Consell Regulador D.O.Q. Priorat. Drawn up by the author.

The following table shows the seasonal yield over approximately the last decade:

TABLE 7

Season	Hectolitres
1990-1991	11,778.00
1991-1992	8,964.00
1992-1993	10,331.00
1993-1994	10,505.00
1994-1995	7,414.00
1995-1996	8,995.00
1996-1997	10,590.00
1997-1998	13,081.00
1998-1999	13,419.24
1999-2000	13,116.00
2000-2001	18,641.76
2001-2002	17,619.07
2002-2003	19,600.00
2003-2004	21,000.00

Source: Consell Regulador D.O.Q. Priorat. Drawn up by the author.

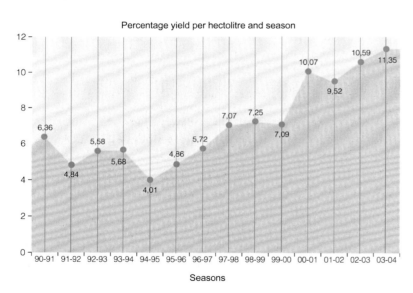

Graph I

Parallel to the increase in yield, sales have also risen and, more important still, so has the average price per litre.

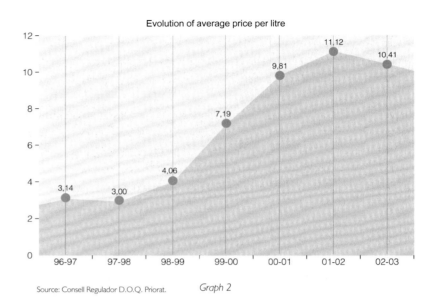

Source: Consell Regulador D.O.Q. Priorat.   Graph 2

Sales at home and abroad have evolved as follows:

TABLE 8

Season	Home Market	International Market	Total	% Exp/Total	% UE/export
1995/1996	4,289.7	1,649.1	5,938.8	27.8	37.3
1996/1997	5,062.6	2,041.2	7,103.8	28.7	56.6
1997/1998	6,868.9	2,953.7	9,822.6	30.1	49.6
1998/1999	5,746.8	4,328.9	10,075.7	43.0	56.8
1999/2000	7,190.3	3,327.3	10,517.6	31.6	45.1
2000/2001	4,979.3	3,358.2	8,337.5	40.3	46.0
2001/2002	5,087.6	5,046.5	10,134.1	49.8	46.4
2002/2003	5,122.3	4,079.9	9,202.2	44.3	36.4

Source: Consell Regulador D.O.Q. Priorat. Drawn up by the author.

A glance at this table reveals the constant rise in the importance of exports in relation to total sales, that is, from 27.8 % in 95/96 to 44.3 % in 02/03.

On the other hand, if we separate the perentage of sales to other EU states from the international total we observe a major fluctuation, reaching a maximum of 56.8 % in 98/99 and dropping to a minimum of 36.4 % in 02/03.

Conclusions

The *D.O.Q. Priorat* has its roots in the earth. The characteristics of its soils, its microclimates and its vine varieties constitute the basis on which the entire vinicultural structure of the *D.O.Q.* rests. It is therefore the responsibility of everybody involved in the wine sector to defend and protect this natural heritage.

Harvesting characteristics and the techniques employed (delicate work, small to average-sized plots, the reduction of the grape load per vine, manual collection and the absence or near absence of irrigation systems) allow grapes of prime quality to be obtained. The application of new technology must be carried out only after exhaustive studies have been conducted to guarantee that such technology will help to increase the already high quality of grapes harvested.

The existence of a considerable number of wineries, most of which produce their own wines and are endowed with the most suitable infrastructures and machines together with qualified personnel, has led to the establishment of a wide range of products that, though unmistakable from the Priorat, nonetheless reflect the personality of each winery. It might be expedient at this point to examine possibilities of extending the range to include young reds, rosés, whites and sweet wines, at present non-representative of the *D.O.Q. Priorat* and which might reach a greater number of consumers, thereby increasing the fame of the designation of origin.

Lastly, the exceptional land (natural environment, landscape, culture and traditional cuisine) and people of the Priorat are in themselves an excellent pretext for visiting the region. Promotion of oenological tourism and the defence of this natural heritage are two sides of the same coin when it comes to the integral development of these lands.

Bibliography

COBERTERA, E.: *Los suelos cultivados de la provincia de Tarragona*. Exc. Diputació de Tarragona.

Estadístiques agràries i pesqueres de Catalunya. Several years. Gabinet Tècnic, DARP.

HIDALGO, L.: *Los suelos de la vid en España*. Mapa.

JUNCOSA GINESTÀ, I.: *Tractat d'Agricultura*. Anonymous 18th-century manuscript from Porrera, Centre d'Estudis Comarcal Josep Iglésies, Reus.

NADAL ROQUET-JALMAR, M.: *Els vins del Priorat*. Cossetània Edicions.

Registro vitícola (Provincia de Tarragona). Mapa.

Variedades de vid. Registro de variedades comerciales. Mapa.

Notes

1. To make good wine, the vines must be planted in dry soil that is not very cold, for if the soil is too cold the grapes will not mature, and if it is too warm they ripen before time.

2. And some vines that produce the best wine, like *garnatxa* and others, do not produce so well as on temperate soils, which are lacking in my town and in the entire priority of Scala Dei, where 56 species are cultivated...

3. Be careful to keep the wine press, vats and everything that touches the grapes perfectly clean... Harvest the grapes well, though leaving some to dry in the sun. After 8 days put the grapes in the press, and then decant the must into vats, which have to be perfectly clean...

Para Doug Ahlstrand,

es un placer conocer a grandes
conocedores y amantes de los
buenos vinos del mundo y
especialmente del Priorato.

Sedó Alvarez.

19-4-05

LUNWERG EDITORES

Director general
JUAN CARLOS LUNA

Director d'art
ANDRÉS GAMBOA

Directora tècnica
MERCEDES CARREGAL

Maquetació
BETTINA BENET

Coordinació de textos
MARÍA JOSÉ MOYANO

Traducció
RICHARD REES

RELACIÓ DE FOTOGRAFÍES DE

JOAN ALBERICH

Pàgines: 15, 58, 59, 69, 72, 94, 174, 175, 182